大家说汉语

——初级汉语口语

（英文注释本）

编　　著　苏瑞卿
英文翻译　赵林琰
　　　　　甘文图〔美〕

图书在版编目（CIP）数据

大家说汉语．初级汉语口语（英文注释本）/ 苏瑞卿编著．—北京：北京大学出版社，2009.3

（北大版短期培训汉语教材）

ISBN 978-7-301-14991-1

Ⅰ．大…　Ⅱ．苏…　Ⅲ．汉语－口语－对外汉语教学－教材　Ⅳ．H195.4

中国版本图书馆 CIP 数据核字（2009）第 031339 号

书　　名：大家说汉语——初级汉语口语（英文注释本）
著作责任者：苏瑞卿　编著
英 文 翻 译：赵林琰　甘文图〔美〕
内 文 插 图：刘德辉
责 任 编 辑：刘　正　lozei@126.com
标 准 书 号：ISBN 978-7-301-14991-1/H·2212
出 版 发 行：北京大学出版社
地　　址：北京市海淀区成府路 205 号　100871
网　　址：http://www.pup.cn
电　　话：邮购部 62752015　发行部 62750672　编辑部 62753334　出版部 62754962
电 子 邮 箱：zpup@pup.pku.edu.cn
印　刷　者：北京大学印刷厂
经　销　者：新华书店
787 毫米 ×1092 毫米　16 开本　17 印张　插页 1　420 千字
2009 年 3 月第 1 版　2009 年 3 月第 1 次印刷
定　　价：48.00 元（附 1 张 MP3）

前言

这是一本为短期班的零起点外国学生编写的汉语口语教材。本教材根据国家汉办制定的《高等学校外国留学生汉语教学大纲（短期强化）》编写，全书20课，涵盖了初学者所要掌握基本交际技能和初等语法知识，基本能满足学生希望在较短时间内最大限度地提高汉语交际能力，尤其是听说交际能力的需求。

本教材参考“任务型教学”理论，把全部初学者需要掌握的基本交际功能项目分成20课，每课围绕一到两个功能任务目标展开。每课开头是完成本交际任务要掌握的基本句子。第二部分是会话课文，通过典型的交际场景展示交际过程中的语篇性。第三部分是词语注释。练习紧跟在基本句或词语注释的后面。前12课侧重于交际基本句的应用练习，后8课则把本课所学的交际技能与语法知识结合起来，侧重于词语、句式的使用练习，目的是使学生在掌握交际技能的同时正确使用汉语语法知识。第四部分的综合练习是听、说、读的综合训练，学生听了或读了课文后根据课文内容回答问题，训练读和听能力。接着是从不同人物的角度根据回答问题的脉络简述课文内容，训练讲述能力。

本教材偏重说话能力的训练，因为学的目的全在于应用。看图说话是根据所学功能项目联系实际的应用。“选择填空”和“听老师问问题，根据实际情况回答”以及最后的“大家说”则是对所学词语和功能项目的综合运用。做完这些练习，本课生词及功能项目基本掌握，本课所学的交际功能任务也基本完成了。

课文的内容以两个来中国参加短期班学习的学生在中国的生活为主线，根据他们在中国的生活需要安排功能项目，并尽量照顾了先后顺序，同时注意了年轻人生动活泼的语言特点。每课课后的中国生活常识介绍，无疑为初学汉语的外国学生简单了解中国各方面的生活提供了帮助。语言和文化是紧密联系在一起的，这部分的加入，不仅能使学生更快适应在中国的生活，而且能使学生更方便地了解中国文化，深入理解汉语知识。

在本教材中，编写者根据多年的教学经验，在语音部分，针对不同国家学生发音特点，用“注意”指出他们常犯的错误，告诉他们如何克服，语法部分也是如此。使用本教材的教师和学生都注意了这些容易出现的问题，就可以事半功倍。

本教材可供短期班学生学习100课时。如果您是放假一个月来中国学习兼旅游的学生，建议您选用本教材。您可以一周学习五天，周末休息、旅游，在实践中应用课上所学的知识。遇到与课文类似的场景，汉语句子就能轻松地说出口了。

Foreword

This textbook has been specially compiled for short-term students of Chinese on the "absolute beginner" level. It is based on an outline compiled by the office of Chinese language council international and is intended to augment the short-term Chinese courses for foreign students on a college level.

The textbook contains 20 lessons and covers all fundamental knowledge of basic communication tools and grammar which a beginning student of Chinese should grasp. It should be able to satisfy especially those students who expect to improve their communication skills in Chinese within a relatively short period of time, in particular emphasizing the listening comprehension and the oral expression.

The textbook is based on a "task outline" principle and as such is divided into 20 lessons each emphasizing a different functional objective in basic communication. Each lesson starts with a heading highlighting the specific teaching task of the unit and is followed by a number of sentences and phrases necessary to master the task given in the heading. The second part contains conversations with typical communication tools for a particular situation. The third part simply explains the vocabulary. Exercises usually follow the basic sentences or are included after the vocabulary explanations.

The first twelve lessons are focused on practicing the use of basic sentences useful in everyday communication. The remaining eight lessons try to combine the basic communication skills with Chinese grammar and stress the vocabulary use and sentence patterns. The goal is to not only help students grasp the basic ability in social intercourse but also acquire a practical knowledge of basic Chinese grammar. The fourth part contains combined exercises in listening, speaking and reading. First, after listening or reading, the students should answer questions about the content, practice their listening and reading comprehension. Next, based on these answers and questions, they should retell the content of the lesson from different speakers' points of view.

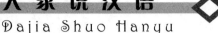

This textbook emphasizes the oral expression skills since the primary purpose of learning is its practical application. Speaking according to a picture is a way to put to practice the functional knowledge already learned. "Fill in the blanks" exercises as well as answering the teacher's questions according to the actual circumstances plus "everybody speaks" exercise essentially allow students to apply whatever theory they have learned in every unit. If the students complete the exercise and grasp the basics, they should be absolutely capable of elementary social intercourse in Chinese. This way this textbook's objective would be also met.

The content takes the experience of two students coming to China to join a short-term class as a main thread and is organized according to their everyday needs paying special attention to the order of priority. At the same time, it also particularly highlights the colorful and vivid language of the youth. Every unit is followed by a brief note highlighting some important aspects of Chinese culture and as such will certainly prove very beneficial to all the students coming to China for the first time. Language and culture are closely connected. This part of the textbook will not only help students get used to life in China, but also it will certainly make it easier for them to more deeply understand Chinese culture and Chinese language.

The compiler of this textbook is a professor with a rich experience in teaching Chinese as a foreign language to students of different nationalities. The writer, based on her own teaching experience, particularly singles out and points to the common pronunciation mistakes students from various countries have a tendency to make , at the same time providing useful hints how to overcome these pronunciation difficulties. Similarly with the grammar part. Thus the students and teachers using this textbook will be able to solve the above-mentioned problems directly saving a lot of time and effort.

This textbook contains 20 lessons and can be divided in 100 class units. If you come to China for only a short period of time to travel, for example one month of summer

vacation, it is the most suitable textbook for you. You can study for five days every week, Monday through Friday, while during the weekend you may go traveling and test your newly acquired skills. And after you finish the coursework, you can still use these language skills in real life situations similar to those in the textbook. At that time the suitable phrases will just spontaneously come out of your mouth.

目　录
Contents

汉语词类简称表 Abbreviations

名词	(名)	noun
动词	(动)	verb
代词	(代)	pronoun
助动词	(助动)	optative verb
形容词	(形)	adjective
数词	(数)	numeral
量词	(量)	quantifier
副词	(副)	adverb
介词	(介)	preposition
连词	(连)	conjunction
助词	(助)	partical
动态助词		aspect partical
结构助词		structural partical
语气助词		modal partical
叹词	(叹)	interjection
拟声词	(拟声)	onomatopoeia
词头	(头)	prefix
词尾	(尾)	suffix

基本语音知识　Phonetics

一、声母/ Initials

b p m f d t n l g k h j q x z c s zh ch sh r

二、韵母/ Finals

ɑ o e i u ü er ɑi ei ɑo ou iɑ ie iɑo iou(iu) ɑn en ɑng eng ong

iɑn in iɑng ing iong uɑ uo uɑi uei(ui) uɑn uen(un) uɑng ueng

三、声韵配合表/ Initial-Final Combinations（见附表）

四、语音注释/ Phonetics Notes

1. 声母和韵母：汉语的音节一般由两部分构成，音节开头的辅音叫声母，其余的部分叫韵母。

Initials and Finals: Chinese syllables are generally formed of two parts. The consonant at the head of a syllable is called the initial. The rest of the syllable is the final.

2. 声调：汉语有四个声调：第一声：ˉ，第二声：ˊ，第三声：ˇ，第四声：ˋ。声调有区别意义的作用，同一个音节，声调不同，意义就不同。如：

Tones: Chinese has four tones: ˉ, the 1st tone; ˊ, the 2nd tone; ˇ, the 3rd tone; ˋ, the 4th tone. Tones are capable of differentiating the meanings. Syllables with same initials and finals but in different tones usually have different meanings, e.g.

dā 搭 (match)　　dá 答 (answer)　　dǎ 打 (beat)　　dà 大 (big)

3. 声调的标注法：声调标注在主要元音上。以 ɑ o e i u 的顺序，如果 i, u 同时存在，就标在后面的元音上。在 i 上标注声调时，要省去 i 上面的点。如：

Tone-indicator: Tone-indicators should be placed on the main vowels, following the order of “ɑ o e i u”. If there are both “i” and “u”, tone-indicator should be placed on the latter one. The dot over the vowel “i” should be removed if a tone-indicator is carried, e.g.

ān　ǎo　bǐ　dí　pǐ　pī　jiā　mǒu　guō　tuī　nǚ　liù

què

4. 轻声：有些音节在一定条件下不带声调，读得很轻很短，这样的音节叫轻声。轻声不标调号。如：

The Neutral Tone: In some certain conditions, a number of syllables are toneless and are pronounced light and short. These syllables are called neutral tones. Neutral tones are written without tone-indicators, e.g.

你们：nǐmen　　不客气：bú kèqi

5. 变调：有一些音节在一定条件下，声调发生变化，叫变调。

Tone changes: The tones will be changed in some certain conditions. This is called tone change.

（1）第三声的变调：the change of the 3rd tone:

第三声音节后面是第一声、第二声、第四声或轻声音节时，读作半三声，就是只读出第三声的前半部分，后面上升部分不读出来。如：

A 3rd tone,when immediately followed by a 1st, 2nd, 4th tone or neutral tone, becomes a half 3rd tone, that is, the tone only falls but does not rise.

两个第三声音节连读时，前一个第三声读成第二声。如：

A 3rd tone, when immediately followed by another 3rd tone, should be pronounced in the 2nd tone, e.g.

nǐ hǎo → ní hǎo

（2）“不”字和“一”字的变调：

“不”字在第四声字前，读第二声；在第一、二、三声字前，读第四声。如：

The tone changes of “不”: “不” is pronounced in the 2nd tone when it is followed by a 4th tone; it is pronounced in the 4th tone when it is followed by a 1st, 2nd or 3rd tone.

“一”字除了单独念、数数和号码时读第一声外，在第四声字前，读第二声；在第一、二、三声字前，读第四声。如：

The tone changes of “一”: When read alone, or in counting or in numbers, “一” should be pronounced in the 1st tone. When followed by a 4th tone, “一” is pronounced in the 2nd tone. If followed by a 1st, 2nd or 3rd tone, “一” is pronounced in the 4th tone.

注意：汉语的变调常常是受变调字后面的字的声调的影响。

Pay attention: Chinese tone changes are always affected by the tone immediately followed it.

6.（1）y 的用法：在 i 开头的零声母的音节中，i, in, ing 前面加上 y，写作 yi, yin, ying。ü, üe, üan, ün 前面加上 y，去掉 ü 上面的两点，写作 yu, yue, yuan, yun。其他有别的元音的音节，把 i 改成 y：ia——ya, ie——ye, iao——yao, iou——you, ian——yan, iang——yang, iong——yong。

The usage of “y”: When a syllable begins with “i” and without an initial, there should be a “y” before “i” “in” “ing”, that is, “yi” “yin” “ying”. If the syllable begins with “i” and without an initial, there should be a “y” before “ü” “üe” “üan” “ün” and the two dots should be removed, that is, “yu” “yue” “yuan” “yun”. When such a syllabic final begun by “i” also contains other vowels, “i” should be replaced by “y” in writing, that is ia——ya, ie——ye, iao——yao, iou——you, ian——yan, iang——yang, iong——yong.

（2）w 的用法：在 u 开头的零声母音节中，u 前面加上 w，写作 wu。其他有别的元音的音节，把 u 改成 w：ua——wa, uo——wo, uai——wai, uei——wei, uan——wan, uen——wen, uang——wang, ueng——weng。

The usage of “w”: When a syllable begins with “u” and without an initial, it is written as “wu”. When such a syllabic final begun by “u” also contains other vowels, “u” should be replaced by “w” in writing. That is, ua——wa, uo——wo, uai——wai, uei——wei, uan——wan, uen——wen, uang——wang, ueng——weng.

7. r 加在韵母后面表示儿化。如：

Adding “r” to the end of a syllable indicates the retroflex final, e.g.

huār（花儿/flower）　wōr（窝儿/nest）　diǎnr（点儿/dot）

hér（盒儿/box）

8. 隔音符号/ Dividing mark.

a, o, e 开头的音节连接在其他音节后面的时候，如果音节的界限发生混淆，用隔音符号（’）隔开。如：

When a syllable beginning with “a o e” follows another syllable, a dividing mark（’）should be used to clarify the boundary between the two syllable, e.g.

xī’ān（西安）　shēn’ào（深奥）　wēi’é（巍峨）　lián’ǒu（莲藕）

9. 其他/ Others:

（1）ü 行韵母和 j q x 相拼时，上面的两点省略，写成 ju, qu, xu, jun, qun, xun, jue, que, xue, juan, quan, xuan 等，但和 n, l 相拼时，仍写作 ü，如 nü, lü。

The two dots over the letter finals ü are omitted when " ü" " üe" " üan" " ün" are spelled with "j" "q" "x", written as "ju" "qu" "xu" "jun" "qun" "xun" "jue" "que" "xue" "juan" "quan" "xuan", However, the two dots remain when these finals are spelled with "l" "n", written as ü: "nü" "lü".

（2）iou, uei, uen 前面有声母的时候，写作 iu, ui, un，如 qiu, tui, shun。

When "iou" "uei" "uen" follows initials, they are written as "iu" "ui" "un", e.g. "qiu" "tui" "shun".

（3）"子" "次" "四" "知" "吃" "师" "日"七个音节的韵母用 i: zi, ci, si, zhi, chi, shi, ri。

The final of these seven syllables "子" "次" "四" "知" "吃" "师" "日" is i, written as: "zi" "ci" "si" "zhi" "chi" "shi" "ri".

第 1 课 你叫什么名字？

Lesson 1 What's your name?

语　音
Phonetics

1. 熟读下面的声母 Read the initials：b　p　m　f　d　t　n　l
2. 熟读下面的韵母 Read the finals：ɑ　o　e　i　u　er
3. 熟读下面的声调 Read the tones：ā　á　ǎ　à　ō　ǒ　ē　ě　ī　ǐ　ū　ǔ　ér　ěr

一、注释 Notes

1. b—p　d—t

这是两对辅音。b, d 是不送气音，p, t 是送气音。汉语的送气音和不送气音区别意义。比如“八bā”——“趴pā”、“拔bá”——“爬pá”“把bǎ”——汉语没有“pǎ”、“爸bà”——“怕pà”、“搭dā”——“他tā”音义都不相同。日本学生要特别注意，发这两组音时，送气音要用力送气，手放在嘴前能感觉到气流的冲击，否则就发成了不送气音。

These are two pairs of initials. “b” “d” are unaspirated and “p” “t” are aspirated. The aspirated and unaspirated in Chinese are capable of differentiating the meanings, e.g. bā(eight)——pā(grovel)、bá(pull out)——pá(climb)、bǎ(measure word)——there is no pǎ in Chinese、bà(father)——pà(fear)、dā(build)——tā(he). Japanese students should pay attention: don’t pronounce these two aspirated initials as unaspirated initials. When you pronounce aspirated ones, put a finger before the mouth to sense the air.

2. f

这是唇齿音。韩国学生要特别注意，要把上齿放在下唇上，不要用上下唇合一起。那样就把这个音发成双唇音了。

This is labio-dental. The upper teeth slightly bites the lower lip and the air is released at the same time. Korean students should pay attention: put the upper teeth on the lower lip. Don’t pronounce this as a bilabial “p”.

3. e

发 e 音开口度不大，舌位半高，偏后。日本学生发这个音往往开口度太大，舌位偏低。要注意开口度小一点，抬高舌位。不要发成 a 和 e 中间的音。

When pronounces "e", the opening of the mouth is not big, the tongue position is mid-high and slightly to the back. When Japanese students pronounce this vowel, the opening of the mouth is always too big and the tongue position is too low.

4. u

这个圆唇音要把唇撮起向前送，舌头缩回，舌根拱起。注意，用力撮，u 的唇形比 o 更小，不要跟 o 相混。日本同学尤其要注意不要跟日语的う相混。

The lips are fully rounded and put forward. Japanese students should distinguish this to the う in Japanese.

二、语音练习 Phonetics Exercise

1. 熟读下面的音节 / Read the syllables.

da ta du tu di ti de te me ba pa ma fa na

ne le bo la bu pu nu lu mu fu po fo ni li

2. 听读，补出声母 / Listen and write the initials.

___a ___e ___i ___u ___a ___a ___e ___u ___i ___o

___a ___e ___i ___u ___a ___a ___e ___u ___i ___o

3. 听读，补出韵母 / Listen and write the finals.

m___ b___ d___ m___ n___ n___ t___ f___ p___ l___

m___ b___ d___ m___ n___ n___ t___ f___ p___ l___

4. 听读，补出声调 / Listen and write the tone-indicators.

shu kan xie song jin jiao hao du wo ta xing xue di jie

shu kan xie song jin jiao hao du wo ta xing xue di jie

5. 给下面的拼音标上声调 / Complete the syllables with tone-indicators.

duibuqi	bu keqi	guixing	laoshi	mingzi	ni hao	shenme
zaijian	xiexie	nin hao	nimen	qing zuo	qing jin	mei guanxi

生词 New Words

第	（头）	dì	an ordinal prefix
一	（数）	yī	one
课	（名）	kè	lesson
你	（代）	nǐ	you
叫	（动）	jiào	to call; to be called
什么	（代）	shénme	what
名字	（名）	míngzi	name
好	（形）	hǎo	good; fine
您	（代）	nín	you (a polite form of 你)
们	（尾）	men	a plural suffix
老师	（名）	lǎoshī	teacher
我	（代）	wǒ	I; me
爱迪	（专名）	Àidí	Eddie; name of a person
贵姓	（名）	guìxìng	polite way to ask surname
李	（专名）	Lǐ	a Chinese surname
金美真	（专名）	Jīn Měizhēn	a Korean name
呢	（助）	ne	a modal partical
请	（动）	qǐng	please
进	（动）	jìn	come in; enter
这	（代）	zhè	this
位	（量）	wèi	a quantifier for a person
同学	（名）	tóngxué	student; classmate

他	（代）	tā	he; him
坐	（动）	zuò	sit
谢谢	（动）	xièxie	thank
不客气		bú kèqi	You'are welcome.
对不起		duìbuqǐ	sorry
没关系		méi guānxi	It doesn't matter.
再见	（动）	zàijiàn	goodbye

基本句
Sentences

1. 你好！

2. A：您好！
   B：你好！

3. A：您好！
   B：你们好！

4. A：你们好！
   B：老师好！

练习 / Practice

1. 练习向老师问好。/ Practice to greet your teacher.
2. 同学之间互相问好。/ Greet your classmates.
3. 轮流扮演老师、长者、学生，互相问好。/ Act teacher, senior, student in turn and greet each other.

1. A：你叫什么名字？
   B：我叫爱迪。

2. A：您贵姓？
   B：我姓金。

3. A：你叫——？
   B：我叫金美真，你呢？
   A：我叫爱迪。

练习 / Practice

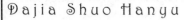

互相问姓名。/ Practice: Ask each other's names.

课 文
Texts

会话 1 Dialogue

（美真在宿舍门口遇见爱迪。/ Meizhen meets Eddie in the doorway of dormitory.）

爱　迪：你好！

美　真：你好！

爱　迪：你叫什么名字？

美　真：我叫金美真，你呢？

爱　迪：我叫爱迪。

会话 2 Dialogue

美　真：老师好！

老　师：你好！你叫什么名字？

美　真：我叫金美真。老师，您贵姓？

老　师：我姓李。

美　真：李老师。

会话 3 Dialogue

（在办公室，美真和爱迪敲门。/ In the office, Meizhen and Eddie knock at the door.）

老　　师：请进。

美真、爱迪：李老师好！

老　　师：你们好！你叫金美真。这位同学叫——？

美　　真：他叫爱迪。

爱　　迪：我叫爱迪。李老师，您好！

老　　师：你好，爱迪。你们请坐。

美真、爱迪：谢谢。

老　　师：不客气。

（办完事，美真、爱迪站起来，爱迪碰掉了桌上的书，连忙捡起来。/ After handle their affairs, Meizhen and Eddie stand up. Eddie drops the books on the desk, and quickly picks it up.）

爱　　迪：对不起！

老　　师：没关系。

美真、爱迪：李老师，再见！

老　　师：再见！

注释 Notes

1. 您好！

“您”是“你”客气的表达。称长辈和尊者时用“您”。

“您” is the polite form of “你”, normally used to address one's elders and betters.

2. 您贵姓？

中国人问对方姓什么时，用“您贵姓”更客气、更有礼貌。注意：回答是“我姓……”，不是“我贵姓……”。

It is a more polite way of asking someone's surname. Pay attention: the answer should be "我姓……", not "我贵姓……"

3. 我叫金美真，你呢？

"……呢"承接上文提问。语气助词"呢"用于疑问句句尾，句中没有疑问词，前边可以只有一个名词性成分，后半部分承前省略。这是一种特指问的简略形式。如：

"……呢" continues questioning of the above dialogue. The modal partical "呢" is used at the end of a question. This type of questions has no interrogative word but a noun, pronoun or such a phrase plus an ending "呢". This is called elliptical interrogative sentences, appearing as a contextual ellipsis, e.g.

（1）我姓李，你呢？——我姓李，你姓什么？

（2）我叫爱迪，你呢？——我叫爱迪，你叫什么名字？

（3）你叫美真，他呢？——你叫美真，他叫什么名字？

4. 同学

"同学"有两个意思。/ "同学" has two meanings.

在同一个学校学习的人。如：

People who study in the same school, e.g.

爱迪是美真的同学　　　我们是同学

对学生的称呼。如：

A form of address teachers address students, e.g.

（1）老师说："这位同学，你叫什么名字？"

（2）同学们，你们好。

 综合练习

Comprehensive Exercises

一、看图说话 / Describe the pictures.

1　　2　　3

4　　5　　6

二、和同学表演对话，分别用上“请进”“请坐”“再见”等词语 / Do role-play with “请进” “请坐” “再见”.

三、想一想，什么时候说“谢谢”“不客气”，跟你的同桌在前面给大家表演 / Think about the situation of using “谢谢” “不客气”. Act with your deskmate for the class.

四、想一想，什么时候说“对不起”“没关系”，看谁想得多，表演得好 / Think about the situation of using “对不起”“没关系” and act the dialogue.

五、读后说 / Read and speak.

我姓金，叫金美真，这位同学叫爱迪。老师姓李，我们叫他李老师。

我姓___，叫______，这位_____叫_____。老师姓___，我们叫他________。

中国生活常识介绍

Greetings

When Chinese people meet for the first time, they say 你好，您好，When the adults meet, they are usually quite casual, for instance seeing someone coming back, they simply ask, 你下班了吗？你回来了？Seeing someone going out, they just say, 你出去？你吃饭了吗？你上班？你上街啊？买菜去呀？In a word, if you meet someone, asking one simple question as a form of greeting is just enough. And when you answer, no need to be too serious. Saying, 是啊, 对is just enough. It is because these questions are merely forms of greeting, not the real questions.

Terms of Politeness: Please, Thank You, Sorry.

If you are expressing a request, it is appropriate to say，请，for example, 请进，请坐，请过来. 请问 has two meanings, that is “Please ask!” and “May I please ask,…? Excuse me,…?” “For example,” If there is anything you don’t understand, please ask.”, that is “You ask me”. “Excuse me, what’s your name?”, here the phrase means “I am asking you”.

If anyone offered you help, it is appropriate to say, 谢谢。The usual answer is 没关系or不用谢。If you caused any inconvenience to anyone, you can say, 对不起. A frequent response will be, 没关系or不要紧。Saying goodbye to someone can be expressed by 再见，明天见，回头见。The other party will respond with a similar phrase.

语音练习文本

2. 听读，补出声母

ba　te　di　pu　ma　na　de　tu　ti　po

pa　de　ti　bu　na　la　te　pu　di　fo

3. 听读，补出韵母

ma　ba　da　mu　ne　na　ta　fa　po　li

mi　bu　de　ma　na　nu　tu　fu　pa　lu

4. 听读，补出声调

shū　kàn　xiě　sōng　jìn　jiǎo　hǎo　dú　wǒ　tā　xíng　xuě　dì　jiè

shǔ　kǎn　xiè　sǒng　jīn　jiāo　hào　dǔ　wō　tà　xǐng　xué　dǐ　jiě

5. 听读，给下面的拼音标上声调

duìbuqǐ　bú kèqi　guìxìng　lǎoshī　míngzi　nǐ hǎo　shénme

zàijiàn　xièxie　nín hǎo　nǐmen　qǐng zuò　qǐng jìn　méi guānxi

第2课

上课

Lesson 2 Going to school

语　音
Phonetics

1. 声母 Initials：g　k　h　j　q　x

2. 韵母 Finals：ai　ei　ao　ou　ia　ie　iao　iou(iu)　ü

一、注释 Notes

1. j　q　x

这一组辅音是舌面音，发音时注意要把舌面向上拱起，舌尖不要弯曲。

These three are palatal consonants. The front part of the tongue is raised and do not curl the tongue-tip.

2. 韵母 ü 的发音是一个难点。发音时，舌位高，偏前，圆唇。即，舌位跟发 i 音相同，唇形跟发 u 音相近。不会发这个音的学生，可以先练习发 i 音，在此基础上，舌位不变，把唇撮圆即可。有的学生把撮起的唇变成平展形，这就读成了 ui；有的学生撮起圆唇后把舌头缩了回去，就读成了 iu。要注意发音时，唇形保持撮起的圆形和舌位不动，直到发音结束。

The pronunciation of the final "ü" may cause a difficulty. The tongue position is high, slightly to the front, and the lips are rounded. That is, the tongue position is identical to that of "i", and the lips are rounded to a degree similar to "u". "ü" could be produced by first articulating "i", then rounding the lips as much as possible, but with the tongue kept still. Some students make the lips flat instead of rounding the lips, that would be "ui". Pay attention: the lips should be kept rounded and the tongue position should not be changed until the articulation is finished.

二、语音注释 Phonetics Notes

1. ü 行韵母只跟声母 j、q、x、n、l 相拼。与 j、q、x 相拼时，省掉上的两点，与 n、l 相拼时不省两点。

The finals starting with “ü” are only spelled together with “j, q, x, n, l”. When being together with “j, q, x”, the two dots at the top of “ü” are removed. “ü” remains unchanged when spelled with “n, l”.

2. iou前面有声母时，写作 iu，如：

“iou” is written as “–iu” if an initial is added, e.g.

jiu qiu xiu

没有声母时写作 you。

“iou” is written as “you” if no initial is added.

三、语音练习 Phonetics Exercise

1. 熟读下面音节，注意相似音 / Read the syllables, pay attention to the similar ones.

ju–qu–xu nü–nu mu–nu qiao–tiao di–ji

ge–gai nai–nei gu–ku–hu lu–lü jia–da

diao–jiao xia–qia ga–ka mai–mei tai–tei

jie–die jiu–diu er–e ju–jiu

2. 听读音节，补出声母 / Listen and write the initials.

___u ___a ___o ___e ___i

___ia ___ie ___ai ___ei ___iao

___ao ___ou ___iu

___u ___a ___o ___e ___i

___ia ___ie ___ai ___ei ___iao

___ao ___ou ___iu

3. 听读音节，补出韵母 / Listen and write the finals.

j___ q___ x___ g___ k___ h___ b___ p___ m___ f___ d___

t___ n___ l___

j___ q___ x___ g___ k___ h___ b___ p___ m___ f___ d___

t___ n___ l___

4. 听读音节，补出声调 / Listen and write the tones.

Hanzi　shengci　yizi　bu keqi　mei guanxi　zaijian　ni hao　mingzi

5. 读下面的音节，注意声调 / Read the syllables and pay attention to the tones.

shàng kè　xià kè　shénme　hěn hǎo　nǐ hǎo　kàn shū　xiě zì　zhuōzi

xièxie　shūbāo　pīnyīn　hēibǎn　gāoxìng　kèwén　qǐng jìn　míngzi

生词 New Words

上课		shàng kè	go to class
是	（动）	shì	be(am; are; is; etc.)
书	（名）	shū	book
那	（代）	nà	that
本子	（名）	běnzi	notebook
的	（助）	de	a structural partical
书包	（名）	shūbāo	schoolbag
笔	（名）	bǐ	pen
桌子	（名）	zhuōzi	desk; table
椅子	（名）	yǐzi	chair
黑板	（名）	hēibǎn	blackboard
拼音	（名）	pīnyīn	syllable
课文	（名）	kèwén	text
看	（动）	kàn	look at; see
写	（动）	xiě	write
读	（动）	dú	read
汉字	（专名）	Hànzì	Chinese character
生词	（名）	shēngcí	new word
学习	（动）	xuéxí	study; learn
汉语	（专名）	Hànyǔ	Chinese; Chinese language

跟	（介）	gēn	with; and
听	（动）	tīng	listen
问	（动）	wèn	ask
说	（动）	shuō	say; speak
回答	（动）	huídá	answer
不	（副）	bù	not
对	（形）	duì	right; correct
很	（副）	hěn	very

基本句
Sentences

1. A：这是什么？
   B：这是书。
2. A：那是什么？
   B：那是本子，那是我的本子。

练习 / Practice

1. 用下面的词问答：这是什么？/ Ask questions with the following words, "what's this?"
   书包　笔　桌子　椅子　黑板　拼音　课文
2. 用下面的词在相应的位置替换"那是我的本子" / Do substitution with the following words.
   这　你　他　书包　笔　书　桌子　椅子

A：你看什么？
B：我看课文。

练习 / Practice

熟读下面的对话，练习问答 / Read the following dialogues. Practice asking and answering.

1. A：你写什么？
B：我写拼音。

2. A：你读什么？
B：我读汉字。

3. A：他看什么？
B：他看生词。

4. A：你学习什么？
B：我学习汉语。

1. 请看黑板。　　2. 请跟我读课文。

练习 / Practice

1. 熟读下面的句子 / Read the following sentences.

（1）请看课文。
请看老师。
（2）请读拼音。
请读生词。
（3）请写汉字。
请写拼音。
（4）请听我问。
请听我说。

2. 一个人说句子，其他人根据句子的内容作相应的动作 / One person speaks a sentence, and the others do actions according to the sentence.

（1）请说“你好”。（2）请读生词。（3）请看我的书。（4）请看他。
（5）请看书包。（6）请写拼音。（7）请回答，他叫什么名字？

3. 反复听下面的句子，注意分辨它们的不同 / Read the following sentences and pay attention to the differences.

（1）请跟我说。
请听我说。
（2）请跟我读生词。
请听我读生词。
（3）请跟我读拼音。
请听我读拼音。

课 文
Texts

会话 1 Dialogue

（在教室，学生在上课。/ In the classroom, students are in class.）

老 师：请看黑板。美真，请回答，这是什么？

美 真：这是汉字。

（老师摇了摇头，爱迪推了推美真，小声说：/ The teacher shakes head. Eddie slightly pokes Meizhen and says:）

爱 迪：不对，那不是汉字，是拼音。

美 真：这是拼音。

老 师：对，这是拼音。（指着美真旁边的同学 / Point at the student beside Meizhen）这位同学，请读拼音。

同 学：hēibǎn，shūbāo.

老 师：很好！请跟我读课文。

会话 2 Dialogue

（爱迪、美真在教室。/ Eddie and Meizhen are in the classroom.）

爱 迪：美真，我问你，请回答。这是——？

美 真：这是书，这是我的书 。

爱 迪：这个呢？

美 真：这是本子，这是你的本子。

爱 迪：很好。你看什么？

美 真：我看生词，你呢？

爱 迪：我写汉字。

读后说 Read and Speak

我们上课，看书。跟老师读生词，跟老师读课文，看老师写拼音，看老师写汉字。老师问，我们回答。老师说："很好"。

我们学习_____，学习_____，学习_____。跟老师_____，跟老师_____，老师问，我们_____。老师说：_____。

这是美真的书，那是爱迪的本子。美真_____，爱迪_____。

注释 Notes

1. 汉语的一般语序 / The Chinese word order.

汉语句子的语序，一般是主语在前，谓语在后，宾语在谓语后，即：主语＋谓语＋宾语。如：

In Chinese sentences, the subject normally precedes the predicate, and the object is after the predicate. That is: Subject + Predicate + Object, e.g.

这是书　　我看生词　　你写汉字

2. 这是书。

"是"作谓语，后面的宾语是说明主语的。如："他是老师"；否定形式是在"是"前面加否定副词"不"，如："那不是拼音"。

"是" is used as a predicate. The object is to explain the subject. The negative form is to add a "不" before "是", e.g. "他是老师"、"那不是拼音" etc.

3. 这是我的书。

结构助词"的"用在定语后边。汉语表示某物属于某人时，常用"名词/代词＋的＋名词"的形式。如：

The structural particle "的" is placed immediately after an attribute. When shows possession in Chinese, the form "Noun/Pronoun + 的 + Noun" is often used, e.g.

他的书　　我的桌子　　美真的椅子　　爱迪的书包　　李老师的笔

4. 这是什么?

疑问代词"什么"作宾语，放在"是"或动词的后面，用来问物。还可以在

“什么”后面加上名词，问其他内容。如：

The interrogative pronoun “什么” is an object. It is placed after “是” or other verbs, asking about things. Other nouns could be placed after “什么”, e.g.

（1）那是什么？

（2）你写什么？

（3）他看什么？

（4）你叫什么名字？

5. 这个呢?

意思是：“这是什么？”这是承上省略句。还有下文的“我看生词，你呢？”意思是：“你做什么？”参见第一课注释3。

“这个呢?” here means “what's this?” This is a continuing question of the above dialogue. The latter “我看生词, 你呢?” is the same, meaning “what are you doing?” R.e. Note 3 of Lesson 1

综合练习

Comprehensive Exercises

一、看下面的图，用汉语说出图上物品的名称 / Look at the following pictures and tell the names of these articles in Chinese.

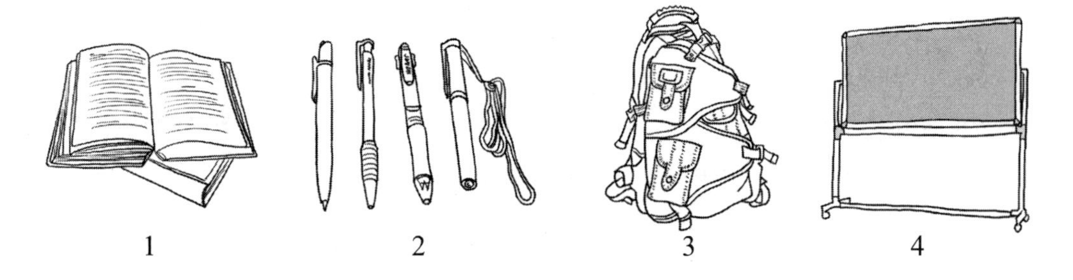

1　　2　　3　　4

二、看下面的图，用汉语说出他们在做什么 / Look at the following pictures and tell what they are doing in Chinese.

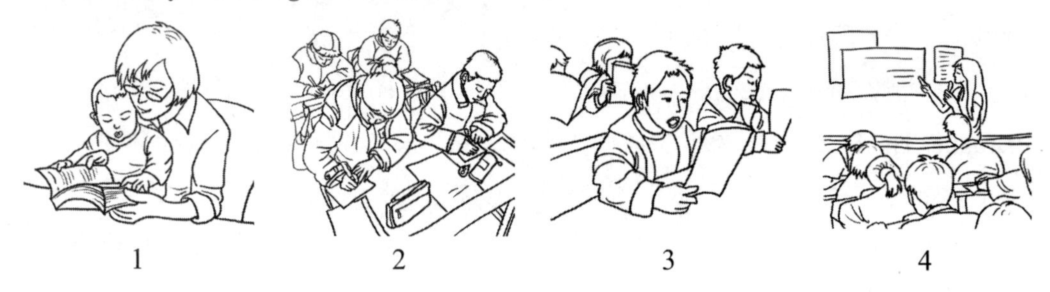

三、完成对话 / Complete the dialogues.

1. A：你看什么？

   B：__________。

2. A：你写__________？

   B：我写拼音。

3. A：你__________什么？

   B：我说"很好"。

四、用下面的词语互相问答，并用手指着相应的物品 / Ask and answer questions with the following words by pointing at the articles.

例：（用手指着椅子问）　　A：这是什么？

　　　　　　　　　　　　B：这是椅子。

黑板　　书　　本子　　桌子　　书包　　笔

五、一人读，其他人作出相应的反应 / One reads and the others do actions.

1. 请看书。
2. 请写汉字 “很好”。
3. 写拼音 “shūbāo”。
4. 请读课文。
5. 听我说：“这是什么？”
6. 跟我说：“这是什么？”
7. 请回答：“这是什么？”

中国生活常识介绍

Going to School

Before the class starts, the teachers and the students exchange greetings. The teacher says “同学们好”, while the students respond with “老师好”. After that, the class starts. When the teachers are calling on individual students, they don't call them by their names. Instead, they simply call on students in turns. For that reason, it is essential that students pay close attention to their own turn. When it is your turn to answer, speak in a loud and clear voice, but do not stand up. If you have any questions, you may just raise your hand.

Expressions frequently used by teachers in the classroom setting. “现在开始上课。” The class starts. “打开书，翻到第x页。” Open your books and turn to page X. “请看生词。” Look at the vocabulary list. “请看课文。” Look at the reading. “大声读课文。” Read out loud. “请你声音大一点。” Please speak up a little. “请跟我读。” Please read with me. “请你回答。” Please answer. “请你读一遍。” Please read it once again. “大家现在互相问答。” Everybody ask questions to your classmates and answer. “今天的作业是背课文，写生词。” Today's homework is to memorize the lesson and practice writing the vocabulary. “请把作业交给我。” Please hand in your homework. “懂了吗？” Do you understand? “明白了吗？” Is that clear? “谁有问题？” Does anyone have any questions? “还有问题吗？” Are there still any questions? “现在休息。” Let's have a short break now. “好了，今天的课就上到这儿。下课了。” OK, so much for today. The class is over.

Phrases and Expressions useful for students in class “懂了” I understand “不懂” I don’t understand “明白了” “不明白” “我有问题” I have a question “没有问题了”No problem “请问再说一遍” Can you please repeat? “请您慢点说” Please speak a little slower “您说得太快了，我听不懂” You speak too fast, I don’t understand.

语音练习文本

2. 听读音节，补出声母

ju ga bo ke qi qia xie kai gei xiao gao hou xiu

qu ka po he ji xia jie gai hei qiao hao kou qiu

3. 听读音节，补出韵母

ju qi xia ga ku hai bei po mao fei die tiao niu lou

ji qu xie ge kou hao bie pu miao fu diu tao nao lu

4. 听读音节，补出声调

Hànzì shēngcí yǐzi bú kèqi méi guānxi zàijiàn nǐ hǎo míngzi

第3课

他是谁？

Lesson 3 Who is he?

语 音
Phonetics

1. 声母 Initials：zh　ch　sh　r　z　c　s

2. 韵母 Finals：an　en　ang　eng　ong　ian　in　iang　ing　iong　ua　uo　uai　uei　uan　uen　uang　ueng

一、注释 Notes

1. zh、ch、sh、r、z、c、s 不能跟 i 相拼。zhi、chi、shi、ri、zi、ci、si 的 i 不读[i]，读 zh、ch、sh、r、z、c、s 的延长音。

The initials "zh, ch, sh, r, z, c, s" are not spelled together with "i". The "i" in "zhi, chi, shi, ri, zi, ci, si" is not read as [i]. It is extending articulating of "zh, ch, sh, r, z, c, s".

2. 发 zh、ch、sh 一组音时要注意把舌尖翘起，发 z、c、s 一组音时把舌尖放在前齿背后。日本学生的 zh、ch、sh 容易混同于 j、q、x，韩国学生的 zh、ch、sh 容易跟 z、c、s 相混。

The tip of the tongue is raised when articulating "zh, ch, sh". The tip of the tongue is pressed against the upper alveolar ridge when articulating "z, c, s". Japanese students may easily confuse "zh, ch, sh" with "j, q, x". Korean students may easily confuse "z, c, s" with "zh, ch, sh".

3. r 的发音方法是舌尖和上腭中间留出小缝，气流从中间擦出。韩、日学生要注意不要使舌尖接触上腭，以免把 r 发成 l。英语为母语的学生注意舌尖不要翘得过高。

"r" is articulated by raising the tip of the tongue near the front of the hard palate, allowing the air to squeeze out the narrow passage. Japanese and Korean students note that the tip of the tongue should not be touching the hard palate. Students whose mother tongue is English should note that they should not raise the tip of the tongue too high.

4. uen 前面有声母时，写成 un，如：gun、zhun、chun、shun、zun……没有声母时，写作 wen。

uei 前面有声母时，写成 ui，如：zui、cui、sui、rui、hui……没有声母时，写作 wei。

"uen" is written as "un" if an initial is added, e.g. gun, zhun, chun, shun, zun... It is written as "wen" if no initial is added.

"uei" is written as "ui" if an initial is added, e.g. zui, cui, sui, rui, hui... It is written as "wei" if no initial is added.

二、语音练习 Phonetics Exercise

1. 熟读下面音节，注意相似音 / Read the syllables, pay attention to the similar ones.

zhi–zi　　shi–si　　zhan–zhang　　chan–chang　　pang–peng

deng–dong　　zhang–zheng　　zhang–zhong　　chi–ci　　ji–zi

shan–shang　　ban–ben　　bin–bing　　dang–dan　　chang–cheng

sheng–shang　　ri–li　　xi–si　　jian–jiang　　qin–qing

gua–guo　　jiong–zong　　qiang–weng　　yun–wen　　lu–lü

nu–nü　　zhun–zun　　yuan–yue　　wan–wei　　wai–wo

nuan–nue　　wei–hui

2. 听读音节，补出声母 / Listen and write the initials.

___uang　　___an　　___iang　　___ue　　___un

___uo　　___ong　　___eng　　___ui　　___uan

___i　　___ing　　___a　　___e　　___u

___ai　　___ei　　___ao　　___ou　　___in

___e　　___u　　___ia　　___o　　___ie

___iao　　___iu　　___an　　___in　　___ang

___i　　___i　　___i

3. 听读音节，补出韵母 / Listen and write the finals.

zh___　　ch___　　sh___　　r___　　z___

c ___	s ___	j ___	q ___	x ___
h ___	y ___	w ___	g ___	k ___
d ___	t ___	l ___	n ___	p ___
m ___	b ___	f ___	zh ___	l ___
y ___	w ___	s ___	r ___	t ___
z ___	ch ___	k ___		

4. 听读音节，补出声调 / Listen and write the tones.

zhang	lan	wa	zeng	ci	qing	nin	ming	feng	guan
dong	kua	chun	yun	ri	ben	zi	chuan	wei	si
kuan	li	shen	wan	pang	nong	huai	qing	xin	yuan
you	wu	guo	ji						

5. 读下面的音节，注意声调 / Read the following syllables and pay attention to the tones.

nǐmen	wǒmen	nǐ hǎo	qǐngwèn	qǐng jìn
sīxiǎng	zāogāo	zìjǐ	chuántǒng	píjiǔ
gǎnmào	lǎoshī	shǒuxù	zuǒyòu	jiějie
xióngmāo	shénme	Xiǎo Wáng	zǒu lù	yuèliang
rìqī	lù yīn			

生词 New Words

谁	（代）	shéi/shuí	who; whom
她	（代）	tā	she; her
妹妹	（名）	mèimei	younger sister
妈妈	（名）	māma	mum
哥哥	（名）	gēge	elder brother
弟弟	（名）	dìdi	younger brother
爸爸	（名）	bàba	dad

姐姐	（名）	jiějie	elder sister
朋友	（名）	péngyou	friend
做	（动）	zuò	do
工作	（动、名）	gōngzuò	work
医生	（名）	yīshēng	doctor
也	（副）	yě	also; too
吗	（助）	ma	a modal partical
售货员	（名）	shòuhuòyuán	shop assistant
学生	（名）	xuésheng	student
漂亮	（形）	piàoliang	beautiful; pretty
年轻	（形）	niánqīng	young
身体	（名）	shēntǐ	body; health
帅	（形）	shuài	handsome
全	（形）	quán	whole
家	（名）	jiā	family
照片	（名）	zhàopiàn	photo
吧	（助）	ba	a modal partical
真	（副）	zhēn	real; true
运动员	（名）	yùndòngyuán	sportsman; athlete
警察	（名）	jǐngchá	policeman

基本句
Sentences

1. A：她是谁？
   B：她是我妹妹。

2. A：这是谁？
   B：这是我妈妈。

练习 / Practice

用下面的词回答 / Answer questions with the following words.

1. 这是谁？　　2. 她是谁？　　3. 那是谁？

哥哥　弟弟　爸爸　姐姐　朋友

1. A：他做什么工作？
   B：他是医生。
2. A：她也是医生吗？
   B：不，她是售货员。
3. A：他做什么工作？
   B：他不工作，他是学生。

练习 / Practice

看下面的图，完成对话 / Look at the following pictures and complete the dialogues.

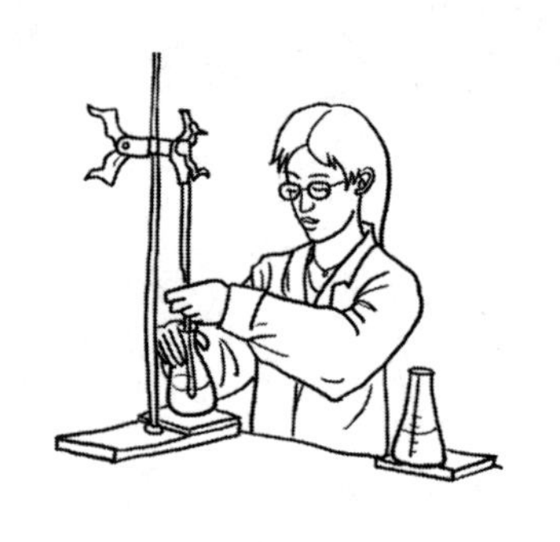

1. A：她做什么工作？
   B：她是________。
2. A：他也是________吗？
   B：不，他不是____，他是________。
3. A：他做什么工作？
   B：他________。

1. A：她漂亮吗？
   B：她很漂亮。
2. A：你妈妈年轻吗？
   B：很年轻。
3. A：你爸爸身体好吧？
   B：他身体很好。
4. A：你朋友很帅。
   B：对，他很帅。

练习 / Practice

看图对话，用上“漂亮”“好”“帅”这些词 / Describe the following pictures with the words“漂亮”“好”“帅”.

1. 她漂亮吗？

2. 他帅吗？

3. 他们身体好吗？

课　文
Texts

会话 1 Dialogue

（美真和爱迪看照片。/ Meizhen and Eddie are looking at photos.）

美　真：爱迪，这是谁的照片？

爱　迪：是我全家的照片。你看，这是我爸爸、妈妈。

美　真：他们很年轻啊！

爱　迪：对，他们身体很好。

美　真：你爸爸做什么工作？

爱　迪：他是医生。

美　真：你妈妈呢？她也是医生吧？

爱　迪：不，我妈妈是售货员。

会话 2 Dialogue

美　真：这是谁？
爱　迪：这是我姐姐。
美　真：你姐姐真漂亮！她做什么工作？
爱　迪：她不工作，她是学生。
美　真：这是你哥哥吗？
爱　迪：不是，那是我姐姐的朋友。
美　真：他是运动员吗？
爱　迪：不，他是警察。
美　真：他真帅！

说一说 Speak

这是爱迪家的照片。这是爱迪的爸爸，他是________。这是爱迪的________，她是售货员。爱迪的爸爸妈妈身体________。这是爱迪的姐姐，她很________。她是________，不工作。这是他姐姐的朋友，他是________，他很________！

注释 Notes

1. 这是谁？

问人用“谁”。如：

“谁”is used to ask about people, e.g.

（1）他是谁？

（2）这是谁？

“谁”也可以用作定语。如：

“谁”could also be used as an attribute, e.g.

（3）这是谁的照片？

（4）这是谁的书？

2. 这是我爸爸、妈妈。

人称代词“你”“我”“他”作定语，如果跟中心词是亲属关系时，中间一般不用“的”。如：

Personal pronouns “你” “我” “他” are attributes. If the personal pronoun and the headword are kindred, “的” is normally not needed, e.g.

我妈妈　　他妹妹　　你哥哥

3. 他们很年轻。

形容词作谓语，前边一般用“很”修饰，“很”在这里不表示程度。如：

When an adjective functions as the predicate of a sentence, it usually takes “很” before. “很” does not mean a degree of intensity here, e.g.

工作很忙　　身体很好　　姐姐很漂亮　　很帅

母语是英语的学生注意：汉语形容词前面不用系词“是”，如：

Students whose mother tongue is English should pay attention to the following: In such a sentence with an adjective predicate, “是” can not be inserted between the subject and the predicate, e.g.

*姐姐是很漂亮。

4. 她也是医生吧？

副词“也”表示两事相同。用在后句的动词前面，不单独回答问题。如：

The adverb “也” means two same thing. It is placed after verbs and cannot answer questions independently, e.g.

（1）*他也。

（2）我是学生，他也是。

“吧”用于疑问句末尾，表示问话人对问题已经有了估计，但不太肯定，用“吧”提问，以便得到证实。用“吧”的疑问句，句尾语调下滑。

“吧” is placed at the end of a question, giving the sentence a tone of uncertainty. If one forms an estimate of a thing, and yet is not very sure whether it is true, one can use “吧”. The question with “吧” has a falling tone at the end of the sentence.

5. 这是你哥哥吗?

助词"吗"用于是非问疑问句末尾，表示疑问。有"吗"的疑问句，句尾语调上扬。

The modal partical "吗" is placed at the end of a yes-or-no question. The question with "吗" has a rising tone at the end of the sentence.

综合练习

Comprehensive Exercises

一、下面是爱迪家的照片，请说出他们是谁，做什么工作（爸爸、妈妈、姐姐、姐姐的朋友、爱迪）/ This is a photo of Eddie's family. Please tell who they are and what their jobs are.

二、说出下面图里的人是做什么工作的 / Tell the jobs of the people in the following pictures.

1

2

3

4

5

三、用手指着教室的物品问答 / **Point at the things in the classroom and ask.**

书、本子、桌子、笔、书包、照片

例：A：这是谁的椅子？

B：这是我的椅子。

A：那呢？

B：那是爱迪的椅子。

四、互相问答家人的情况 / **Ask about each other's family.**

五、说一说你家人都做什么工作。他们身体好吗？漂亮吗？帅吗？/ **Talk about your family members. Are they busy? How about their health? Pretty? Handsome?**

中国生活常识介绍

Home and Relatives

At present China is implementing one-child policy. Generally speaking, every household has only one child with no siblings. In the past, however, the extended family and clan relations were essential, and so Chinese has many different forms of address for individual family members. For example, father's elder brother is "伯父", father's younger brother is "叔叔", father's elder sister is "大姑", father's younger sister is "小姑". Mother's brothers are referred to as “舅舅”, while her sisters are “姨”. As for grandparents, the following terms should be noted: father’s father is “爷爷”, father’s mother is “奶奶”, mother’s father is “外公”, while mother’s mother is called “外婆”.

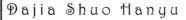

Siblings are called respectively according to their age: “大、二、三、……”, for example: “大哥、二哥；大妹、二妹、三妹……小妹等”.

The family photo is called “全家福”. On the photograph the eldest family member should be positioned in the middle, while other family members should be standing on both of his sides according to their age. The youngest must stand in the back, and the little child is sitting on the eldest family member’s lap.

语音练习文本

2. 听读音节，补出声母

zhuang shan jiang xue qun luo nong geng chui zhuan ji ning zha che zu cai wei kao shou xin ke zhu xia fo qie niao liu kan lin shang ni li xi

3. 听读音节，补出韵母

zhang chan shuang ren zeng cong suan jian qiang xin hong yan wu gui kua ding tian liang nu ping men bai feng zhuo lei yin wen sun ruo tong zang chun kui

4. 听读音节，补出声调

zhāng lǎn wá zèng cǐ qǐng nín míng fēng guàn dǒng kuà chūn yún rì běn zǐ chuān wéi sì kuǎn lǐ shēn wán pàng nóng huài qīng xìn yuán yóu wǔ guò jī

第 4 课 你是哪国人？

Lesson 4 Where do you come from?

语音声调练习
Phonetics Exercises

1. piāo—piáo—piǎo—piào chū—chú—chǔ—chù huī—huí—huǐ—huì xuē—xué—xuě—xuè
2. dìyī yìbān yì tiān yì nián yíbàn yíhuìr yí ge yìqí yì zhāng yì bǎ yí duì yì běn

生词 New Words

哪	（代）	nǎ	which
国	（名）	guó	country; nationality
人	（名）	rén	human; people
韩国	（专名）	Hánguó	Korea
美国	（专名）	Měiguó	the United States
英国	（专名）	Yīngguó	Britain
法国	（专名）	Fǎguó	France
俄罗斯	（专名）	Éluósī	Russia
日本	（专名）	Rìběn	Japan
从	（介）	cóng	from
哪儿	（代）	nǎr	where
来	（动）	lái	come
首尔	（专名）	Shǒuěr	Seoul
伦敦	（专名）	Lúndūn	London
纽约	（专名）	Niǔyuē	New York
巴黎	（专名）	Bālí	Paris
东京	（专名）	Dōngjīng	Tokyo
莫斯科	（专名）	Mòsīkē	Moscow

会	（动、助动）	huì	can; will
英语	（专名）	Yīngyǔ	English
一点儿	（量）	yìdiǎnr	a little; a few
懂	（动）	dǒng	understand
韩语	（专名）	Hányǔ	Korean
可以	（助动）	kěyǐ	can; may
用	（介、动）	yòng	by
法语	（专名）	Fǎyǔ	French
日语	（专名）	Rìyǔ	Japanese
俄语	（专名）	Éyǔ	Russian
下课		xià kè	finish class
怎么	（副）	zěnme	how
山口智子	（专名）	Shānkǒu Zhìzǐ	a Japanese name
个	（量）	gè	a quantifier
国家	（名）	guójiā	country; nation
在	（介、副、动）	zài	at; in; on
班	（名）	bān	class
初级	（名）	chūjí	elementary
一	（数）	yī	one
三	（数）	sān	three
可是	（连）	kěshì	but
当然	（副）	dāngrán	certainly; of course

基本句
Sentences

A：你是哪国人？
B：我是韩国人。

练习 / Practice

用下面的词在相应的位置替换回答 / Do substitution with the following words.

美国　英国　法国　俄罗斯　日本

1. A：你从哪儿来？
   B：我从首尔来。
2. A：你从伦敦来吗？
   B：不是，我从纽约来。

练习 / Practice

用下面的词在相应的位置替换回答 / Do substitution with the following words.

纽约　伦敦　巴黎　东京　莫斯科

1. A：你会英语吗？
   B：会一点儿。
2. A：你懂汉语吗？
   B：不懂，我懂韩语。你可以用韩语说。

练习 / Practice

用下面的词在相应的位置替换回答 / Do substitution with the following words.

法语　日语　英语　汉语　俄语

“下课”用英语怎么说？

练习 / Practice

用下面的词在相应的位置替换回答 / Do substitution with the following words.

学习　上课　听　说　写　俄语　日语　韩语　法语

课　文
Texts

会话 1 Dialogue

（在留学生宿舍门口，美真遇见新来的日本留学生山口。/ At the doorway of overseas students dormitory, Meizhen meets the newcomer Japanese student Yamaguchi.）

山　口：你好！我叫山口智子。

美　真：你好！我叫金美真。

山　口：请问，你是哪国人？

美　真：我是韩国人，你是日本人吧？

山　口：对，我是日本人。我从东京来。你呢？

美　真：我从首尔来。

山　口：你在哪个班？

美　真：初级一班。你呢？

山　口：我在初级三班。

会话 2 Dialogue

（山口和美真在宿舍看汉语课本。/ Yamaguchi and Meizhen are reading Chinese textbook in the dorm.）

美　真：山口，在看什么？

山　口：我在看课文。你呢？

美　真：我也在看课文。我不懂，你懂吗？

山　口：懂，可是我不会用汉语说，你懂日语吗？

美　真：我不懂日语，懂一点儿英语，你会用英语说吗？

山　口：会一点儿。

会话 3 Dialogue

（美真给爱迪和山口作介绍。/ Meizhen introduces Eddie and Yamaguchi to each other.）

美　真：山口，这是爱迪，美国人，从纽约来的。
爱　迪：你好！
美　真：这是山口，日本人，从东京来的。在初级三班。
山　口：你好！你也学习汉语吗？
爱　迪：对，我也学习汉语，我和美真在一个班。我的汉语不好。
美　真：山口会一点儿英语，我也会一点儿英语。你可以用英语。
爱　迪：山口，我可以跟你学日语吗？
山　口：可以。我可以跟你学英语吗？
爱　迪：当然也可以。
美　真：我也在跟山口学日语，跟爱迪学英语。

说一说 Speak

美真是________人，她从________来中国学习汉语。她不________日语，懂________英语。她可以跟日本留学生山口学习________，跟________国留学生爱迪学习英语。美真和爱迪在________一班，山口在初级________班。他们是好朋友。

注释 Notes

1. 你是哪国人？

疑问代词“哪”在名词前作定语。还可以加上数量词。数词“一”作定语常常省略。如：

The interrogative pronoun “哪” is placed before nouns as attribute. Numerals can also be added, but the numeral “一” is often be omitted, e.g.

（1）你会哪国语？

（2）你是从哪国来的？

（3）你是哪（一）个国家的人？

（4）哪（一）张照片是你家的照片？

（5）你问哪个字？

（6）你说哪（一）个同学？

2. 你从哪儿来？

问地点用疑问代词“哪儿”。如：

The interrogative pronoun “哪儿” is used for asking about place, e.g.

（1）你在哪儿？

（2）这是哪儿？

（3）你爸爸在哪儿工作？

（4）你姐姐在哪儿学习？

3. 懂，可是我不会用汉语说

连词“可是”表示转折。如：

The conjunction “可是” expresses a tone of transition, e.g.

（1）我不是韩国人，可是我会说韩语。

（2）我懂了，可是我不会回答。

介词“用”引进工具、凭借。如：

The preposition “用” introduces into tools, e.g.

（1）老师用汉语回答。

（2）用笔写字。

（3）请你用英语说。

4. 你在看什么？

副词“在”表示动作行为正在进行。如：

The adverb “在” signifies an act in progress, e.g.

（1）他在看书。

（2）我们在上课。

（3）他们在看照片。

综合练习

Comprehensive Exercises

一、回答问题 / Answer Questions.

1. 美真是哪国人？她是从哪儿来？在哪个班？
2. 爱迪是哪国人？他是从哪儿来？在哪个班？
3. 山口是哪国人？她是从哪儿来的？在哪个班？
4. 你是哪国人？你是从哪儿来？在哪个班？
5. 美真会说日语吗？
6. 山口会用英语说吗？
7. 爱迪会韩语和日语吗？
8. 美真跟谁学日语？
9. 谁跟爱迪学英语？
10. 美真和山口会一点儿英语，对吗？

二、看图问答 / Look at the following pictures and answer questions.

1. 他（她）__________人，是从__________来的，懂__________语。
2. 他（她）__________人，是从   来的，懂__________语。
3. 他（她）__________人，是从__________来的，懂__________语。
4. 他（她）__________人，是从__________来的，懂__________语。

1

2

3

4

三、选择填空 / Choose the right words to fill in the blanks.

1. 你是（哪、哪儿）国人？
2. 他妈妈在（哪、哪儿）工作？
3. 他在（哪、哪儿）？
4. 老师在（哪、哪儿）？

四、用“可是”完成句子 / Complete the sentences with “可是”.

1. 我会说英语，______________________________。
2. 我是韩国人，______________________________。
3. 他很帅，__________________________________。
4. 我懂，____________________________________。

五、互相问答 / Ask and answer.

1. 你是哪国人？从哪儿来的？
2. 你会说什么语？
3. 你跟谁学习汉语？
4. 他会说韩语（日语/法语/俄语），你懂吗？

中国生活常识介绍

Placement and Study

When Chinese people meet for the first time, they say 你好，您好，When the adults meet, they are usually quite casual, for instance seeing someone coming back, they simply ask, 你下班了吗？你回来了？Seeing someone going out, they just say，你出去？你吃饭了吗？你上班？你上街啊？买菜去呀？In a word, if you meet someone, asking one simple question as a form of greeting is just enough.And Short-term foreign students of Chinese are generally divided in A “Starter Level”, Elementary Level, Intermediate Level and Advanced Level. As the students enter school, they are given a placement test and are assigned to a suitable class according to the test result. The school has dormitories, but there is also a possibility to rent an apartment outside. Students who come from different countries frequently choose to live together seeing this not only as an opportunity to study Chinese together but also as a way to brush up on other foreign languages as well as to initiate new exciting international friendships. Foreign students can also live and study together with Chinese students, both sides greatly benefiting from reciprocal cultural and language exchange. The Chinese students are always very eager to communicate with foreigners in a foreign language, whether it is English, Japanese, Korean or others.

第5课 你们班有多少学生？

Lesson 5 How many students are there in your class?

声调练习
Tone Exercises

1. yōu—yóu—yǒu—yòu　shī—shí—shǐ—shì　jī—jí—jǐ—jì　shēng—shéng—shěng—shèng
2. bù duō　bù chī　bù shuō　bù gāo　bù lái　bù xíng　bú xiè　bù téng　bù hǎo　bù mǎi　bù dǒng　bú dà　búcuò　bú duì　bú kàn　bú qù

生词 New Words

有	（动）	yǒu	have; there be
多少	（代）	duōshǎo	how much; how many
十五	（数）	shíwǔ	fifteen
几	（代）	jǐ	how many; several
男	（形）	nán	male; man
女	（形）	nǚ	female; woman
五	（数）	wǔ	five
十	（数）	shí	ten
学院	（名）	xuéyuàn	college
百	（数）	bǎi	hundred
四	（数）	sì	four
房间	（名）	fángjiān	room
两	（数）	liǎng	two
教室	（名）	jiàoshì	classroom
二十	（数）	èrshí	twenty
张	（量）	zhāng	a quantifier for paper; photos; etc
把	（量）	bǎ	a quantifier for tools; umbrellas; etc
柜子	（名）	guìzi	wardrobe

住	（动）	zhù	live
号	（名）	hào	number
楼	（名）	lóu	building
六	（数）	liù	six
电话	（名）	diànhuà	telephone
号码	（名）	hàomǎ	number
七	（数）	qī	seven
同屋	（名）	tóngwū	roommate
没有	（动）	méiyǒu	not have; there is not; didn't
今天	（名）	jīntiān	today
去	（动）	qù	go
宿舍	（名）	sùshè	dormitory
了	（助）	le	a modal partical
卧室	（名）	wòshì	bedroom
卫生间	（名）	wèishēngjiān	toilet
里	（名）	lǐ	in; inside
床	（名）	chuáng	bed
大	（形）	dà	big
十六	（数）	shíliù	sixteen
十一	（数）	shíyī	eleven
十四	（数）	shísì	fourteen

基本句
Sentences

1. A：你们班有多少（个）学生？
   B：十五个。

2. A：几个男同学？几个女同学？
   B：五个男同学，十个女同学。

练习 / Practice

用下面的词在相应位置上替换问答 / Do substitution with the following words.

学院——二百三十个

照片——人——四个

房间——人——两个

教室——桌子——二十张

教室——椅子——二十把

房间——柜子——两个

1. A：你住几号楼？
   B：我住六号楼。

2. A：你的电话号码是多少？
   B：84256018。

练习 / Practice

根据下面内容问答 / Ask and answer according to the following contents.

我住316号房间。

我的电话号码是83869142。

美真住七号楼，房间是425号，电话：89788831。

课文
Texts

会话 1 Dialogue

（爱迪和美真谈住处。/ Eddie and Meizhen are talking about residency.）

爱　迪：美真，你住哪儿？

美　真：我住七号楼425房间。

爱　迪：你跟山口是同屋？

美　真：对。你住哪儿？

爱　迪：我住四号楼，106房间。

美　真：你有同屋吗？

爱　迪：没有，我一个人住。

会话 2 Dialogue

（美真和山口谈房间。/ Meizhen and Yamaguchi are talking about rooms.）

美　真：我今天去爱迪宿舍了。

山　口：他有同屋吗？

美　真：没有，他一个人住。

山　口：他的宿舍有几个房间？

美　真：一个卧室，一个卫生间。

山　口：卧室里有什么？

美　真：有一张床，一个柜子，一张桌子，两把椅子。

山　口：我们卧室有两张床，两个柜子，两张桌子，两把椅子。

会话 3 Dialogue

（美真和山口走进初级三班教室。/ Meizhen and Yamaguchi are walking into the classroom of Elementary Class 3.）

美　真：啊，这个教室真大！

山　口：真漂亮！（数桌椅 / Counting the desks and chairs）

美　真：你在做什么？

山　口：我看有多少张桌子。（美真也数 / Meizhen is also counting）

美　真：十六张桌子！

山　口：对，十六张桌子，十六把椅子。

美　真：你们班有多少学生？

山　口：十一个。四个男同学，七个女同学。你们班呢？

美　真：我们班有十四个，七个男同学，七个女同学。

说一说 Speak

日本留学生山口和韩国______美真是同屋。她们______在七号楼425______房间，她们的卧室里有______张床，两个______，两张桌子，两______椅子。美国留学生爱迪一个人住一个______，他______有同屋。他的卧室有一张床，一个柜子，一张桌子，一把______。

初级三班的教室______大，很______。这个班有十四个______。七个______同学，七个______同学。

注释 Notes

1. 你们班有多少学生？

表示所有的“有”字句：“名＋有（＋数＋量）＋名”。如：

The sentences with “有” express possession: Noun + 有(+ Numeral + Quantifier) + Noun, e.g.

（1）中国有十三亿人。

（2）他有五支笔。

（3）他们学校有八千个学生。

（4）我们家有三口人。

问数量：问十以上的数量用疑问代词“多少”：“多少（＋量）＋名”。如：

Asking numbers: when it is more than 10, the interrogative pronoun “多少” is used: 多少 + Quantifier + Noun, e.g.

（1）你有多少本书？

（2）教室有多少人？

（3）这个学院有多少学生？多少个教室？

2. 几个男同学？

问十以下的数量，一般用疑问代词“几”：“几＋量＋名”。如：

when it is within 1—10, “几” is used: 几 + measure word + noun, e.g.

（1）你家有几口人？

（2）教室里有几张桌子？

3. 数字的认读 Numeration

汉字数字写法 The writing of Chinese numbers：

一（1） 二（2） 三（3） 四（4） 五（5）

六（6） 七（7） 八（8） 九（9） 十（10）

十一（11）…… 二十（20） 一百（100） 一百零一（101）

一千（1,000） 一千零五（1,005） 一万（10,000） 一亿（100,000,000）

4. 号码中的“1”读“yāo”。如：

“1” in a number is often read as “yao”, e.g.

（1）我住231房间。

（2）他的电话号码是31897415418。

5. “二”和“两”

“2”汉字写作“二”，有时写作“两”。数数和读号码时用“二”，如“一、二、三、四”“一百二十”“三十二”“二百”；在“百”“千”“万”“亿”前用“二”用“两”都可以。后面有量词时，用“两”，如“两块钱”“两把椅子”“两个柜子”“两个女同学”。后面有度量衡量词时，用“二”用“两”都可以。如“二（两）米”“二（两）公里”“二（两）斤”等。

“2” in Chinese is written as “二”, sometimes written as “两”. When counting or reading numbers, “二” is used, e.g.“一、二、三、四” “一百二十” “三十二” “二百”; Both “二” and “两” can be used before “百” “千” “万” “亿”. When immediately followed by quantifiers, “两” is used, e.g. “两块钱” “两把椅子” “两个柜子” “两个女同学”. When the measure word is a metrological one, both “二” and “两” can be used, e.g. “二/两米” “二/两公里” “二/两斤” etc.

综合练习

Comprehensive Exercises

一、回答问题 / Answer Questions.

1. 美真住哪儿？
2. 爱迪住哪儿？
3. 你住哪儿？
4. 美真有同屋吗？
5. 你有同屋吗？
6. 爱迪有几个房间？
7. 你的宿舍有几个房间？
8. 爱迪的卧室里有什么？
9. 你的卧室里有什么？
10. 你们教室里有多少张桌子？多少把椅子？

二、看图问答，注意“几”和“多少”的用法 / Look at the following pictures and answer questions. Pay attention to the usage of “几” and “多少”.

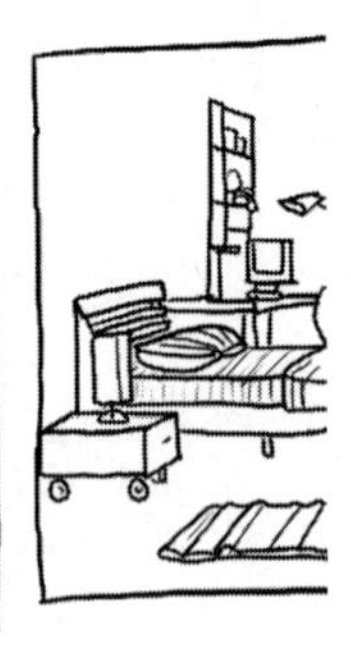

1

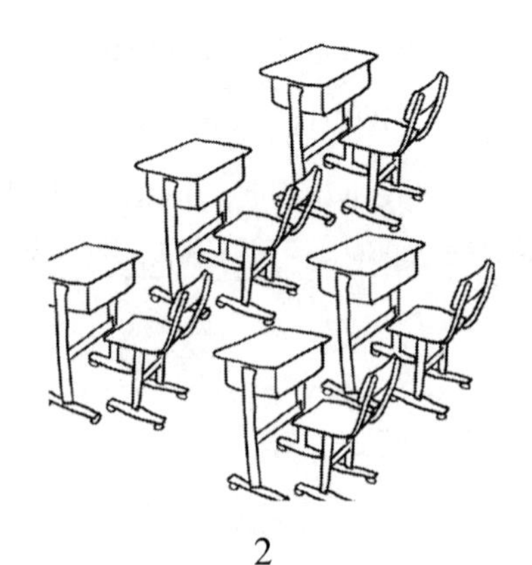

2

3

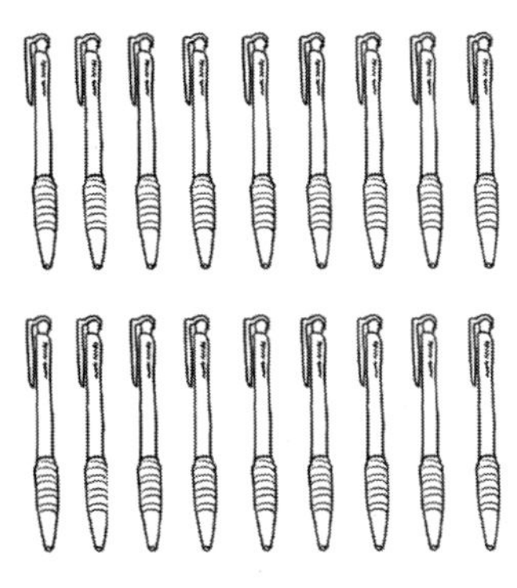

4

三、读出下面的数字和号码 / **Read out the following numbers.**

125　　33,008　　604　　13,304,284　　1,023　　9,800,735

53,666　　351号房间　　我的电话号码是7318900631　　车号是067841

四、选择填空 / **Choose the right words to fill in the blanks.**

1. 我住（二、两）号楼。
2. 我们房间住（二、两）个人。
3. 他有（二、两）本书。
4. 我们在初级（二、两）班。

五、介绍一下你们班级，参考下面的词语 / **Introduce your class with the following words.**

初级　　同学　　男同学　　女同学　　张

桌子　　把　　椅子　　漂亮　　大

六、说说你的房间，参考下面的词语 / **Talk about your room with the following words.**

房间　　大　　漂亮　　卧室　　卫生间　　桌子

椅子　　柜子　　张　　把　　个

Dormitories

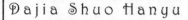

For foreign students studying in China, our school has specially arranged foreign student dormitories in order to make their life here more convenient There are single and double rooms. Every room has a single private bathroom, and every floor has a shared kitchen space so it is possible to cook individual meals. If the dormitory, however, doesn't satisfy student's requirements, one can also rent a room outside. While looking for an apartment, one can turn for help to teachers working in our office or simply inquire with senior classmates who have already stayed here for a while. Another way is to use a local broker's help, but that requires to pay a commission. Having found a satisfying apartment, one must remember to go through all the necessary procedures, like registering in our office, reporting to the local police station, or buying an insurance.Before renting an apartment, we advise students to carefully read the contract to make sure for example if the electricity and heating are to be paid by the landlord or by the tenant, or whether the rent has to be paid in advance, on a monthly basis, or after the completion of the term stipulated in the contract. Other points to consider could be the distance from the apartment to school, safety, the quality of the home appliances, etc. Only after all these issues have been clarified and the future tenant and the landlord have come to an agreement, the question of the price should be discussed and the contract signed. This may save a lot of unnecessary problems in the future.

第6课 来点儿什么？

Lesson 6 Do you want to buy something?

语音练习
Phonetics Exercises

1. tāng—táng—tǎng—tàng wān—wán—wǎn—wàn xiān—xián—xiǎn—xiàn mī—mí—mǐ—mì
2. zhuōzi jiǎozi bāozi bēizi pánzi guìzi yǐzi mántou zánmen wǒmen nǐmen jiějie bàba māma

生词 New Words

点儿	(量)	diǎnr	a little
盘	(名)	pán	plate
饺子	(名)	jiǎozi	*jiaozi* (dumpling)
要	(动)	yào	want; desire
包子	(名)	bāozi	baozi
碗	(名)	wǎn	bowl
鸡蛋	(名)	jīdàn	egg
汤	(名)	tāng	soup
馒头	(名)	mántou	*mantou* (steamed bun)
肉	(名)	ròu	meat
鱼	(名)	yú	fish
米饭	(名)	mǐfàn	steamed rice
杯	(名)	bēi	cup
牛奶	(名)	niúnǎi	milk
啤酒	(名)	píjiǔ	beer
面包	(名)	miànbāo	bread
渴	(形)	kě	thirsty

有点儿	（副）	yǒudiǎnr	a little; a bit
水	（名）	shuǐ	water
想	（动）	xiǎng	think; want
喝	（动）	hē	drink
吃	（动）	chī	eat
都	（副）	dōu	all
中国	（专名）	Zhōngguó	China
饿	（形）	è	hungry
咱们	（代）	zánmen	we; us
食堂	（名）	shítáng	dining hall
吃饭		chī fàn	have meal
面条儿	（名）	miàntiáor	noodles
又	（副）	yòu	again
粥	（名）	zhōu	congee
早饭	（名）	zǎofàn	breakfast
累	（形）	lèi	tired
刚才	（名）	gāngcái	just now
现在	（名）	xiànzài	now
买	（动）	mǎi	buy

基本句
Sentences

1. A：您来点儿什么？
   B：来盘饺子。

2. A：你要什么？
   B：两个包子，一碗鸡蛋汤。

练习 / Practice

用下面的词语在适当的位置替换句中的词语，模仿会话 / Do substitution with the following words.

一盘饺子　一个馒头　一盘肉　一碗鱼汤　一碗米饭　一杯牛奶　一杯啤酒
两个鸡蛋　一个面包

1. A：你渴不渴啊？
   B：有点儿渴，来杯水吧。
2. A：要不要啤酒？
   B：不要，我不想喝啤酒。
3. A：你爱不爱吃米饭？
   B：爱吃，我和同屋都爱吃米饭。

练习 / Practice

用括号里的词语回答 / Answer questions with the given words.

1. A：你来点儿什么？　B：＿＿＿＿＿＿＿＿（包子）
2. A：你要不要饺子？　B：＿＿＿＿＿＿＿＿（吃）
3. A：喝不喝水？　B：＿＿＿＿＿＿＿＿（好吧）
4. A：他爱不爱吃肉？　B：＿＿＿＿＿＿＿＿（鱼）
5. A：你想不想喝牛奶？　B：＿＿＿＿＿＿＿＿（一杯吧）
6. A：你去不去教室？　B：＿＿＿＿＿＿＿＿，我想去看书。（去）
7. A：你看不看课文？　B：＿＿＿＿＿＿＿＿，我想看第六课生词。（不）
8. A：你爱不爱喝啤酒？　B：＿＿＿＿＿＿＿＿，中国啤酒很好。（爱）

课　文
Texts

会话 1 Dialogue

（美真和爱迪从教室出来。/ Meizhen and Eddie come out from classroom.）

美真：爱迪，你饿吗？

爱迪:很饿。你呢?

美真:我也很饿,咱们去食堂吃饭吧。

(他们走进留学生食堂。/ They walk into the dining hall.)

爱迪:你想吃什么?包子可以吗?

美真:来饺子吧,要十五个。

爱迪:我要面条儿。(对服务员 / To the waiter)来十五个饺子,一碗面条儿。

会话 2 Dialogue

(爱迪在食堂看见了李老师。/ Eddie comes across Teacher Li in the dining hall.)

爱迪:李老师,您好!

老师:你好,爱迪!你一个人来吃饭啊?

爱迪:是啊。您又吃馒头啊?

老师:对,一个馒头,一碗粥,一个鸡蛋。

爱迪:中国人都爱吃馒头吗?

老师:不,也爱吃米饭。美国人呢?

爱迪:我们美国人爱吃面包。

老师:你们早饭吃面包喝牛奶,对吗?

爱迪:对。可是我也想吃馒头。

(两个人都笑了。/ They are both laughing.)

会话 3 Dialogue

(美真和山口边走边说。/ Meizhen and Yamaguchi talk while walking.)

山口:美真,你累不累?

美真:刚才不累,现在有点儿累。你累吗?

山口:我不累,可是很渴。你渴不渴?

美真：我也有点儿渴。

山口：咱们去买水喝吧。

美真：好吧。

注释 Notes

1. 您来点儿什么？

意思是“你买点儿什么”。在饭店和商店常用“来”表示买的意思。如：

Here means “what do you want to buy?” When in restaurants and stores, “来” always has the meaning of “buy”, e.g.

来两个包子　　来一杯水　　来一碗米饭

2. 你渴不渴啊？

正反疑问句，动词或形容词加否定副词组成“A不A”“A没A”的形式。肯定回答用“A”“A了”；否定回答用“不A”“没A”。如：

The affirmative-negative question: a verb or an adjective and a negative adverb forms of “A不A” “A没A”. When the answer is affirmative, use the form of “A” or “A了”; when the answer is negative, use the form of “不A” or “没A”, e.g.

（1）A：你去不去呀？

　　B：去（不去）。

（2）A：你吃没吃啊？

　　B：吃了（没吃）。

（3）A：她漂亮不漂亮？

　　B：漂亮（不漂亮）。

（4）A：你弟弟看没看书啊？

　　B：看了（没看）。

注意：句末语气词可以用“啊”“呀”“呢”，不能用“吗”或“吧”。如：

Pay attention: the modal particle at the end of the question could be “啊”, “呀” or “呢”, can not be “吗” or “吧”, e.g.

*你去不去吧（吗）？

3. **有点儿渴。**

"有点儿+形容词/心理动词"表示程度不高。如：

"有点儿+Adjective/Optative Verb" denotes the degree is not very high, e.g.

（1）美真有点儿累。

（2）山口有点儿渴。

（3）我有点儿饿。

（4）他有点儿想家。

注意：一般用于不太喜欢的内容，如上面的"累""渴""饿""想家"；不用于喜欢的内容。如，不说"我姐姐有点儿漂亮""我朋友有点儿帅""爱迪的爸爸妈妈有点儿年轻"。有些词用了，就表示说话人不喜欢，如"有点儿大""有点儿小""有点儿多""有点儿少"等。

Pay attention: This is generally used with something dissatisfying or against one's wish, e.g.tired, thirsty, hungry, homesick. "有点儿" is not used with something satisfying, e.g. not say "我姐姐有点儿漂亮" "我朋友有点儿帅" "爱迪的爸爸妈妈有点儿年轻". The words with "有点儿" expresses unliking, e.g. "有点儿大" "有点儿小" "有点儿多" "有点儿少".

4. **来杯水吧。**

"吧"表示建议。"吧"还表示同意。如：

"吧" gives the sentence a suggestive tone. "吧" could also give the sentence an agreeing tone, e.g.

（1）A：你也吃馒头吧。

B：好吧，我也吃馒头。

（2）A：你来一碗饺子？

B：好，来一碗吧。

5. **咱们去食堂吃饭吧。**

这是连动结构，"吃饭"是"去食堂"的目的。前面的动词常用"来""去"。如"我来中国学习汉语""我去教室看书""去食堂喝啤酒""去美国学英语"等。下文的"咱们去买水喝吧"跟这句相同，也是连动结构，句中的"吧"

表示建议，参见注4。

This is a form of verb constructions in series. “吃饭” is the purpose of “去食堂”. The first verb is always “来” or “去”. e.g. “我来中国学习汉语” “我去教室看书” “去食堂喝啤酒” “去美国学英语”. The sentence “咱们去买水喝吧” is the same as this one, both in the form of verb constructions in series. The “吧” expresses suggestive. R.e.Note 4.

综合练习

Comprehensive Exercises

一、根据课文回答问题 / Answer questions according to the texts.

1. 美真和爱迪去哪儿吃饭？
2. 他们要两盘包子，对不对？
3. 爱迪早饭吃什么？
4. 李老师早饭吃什么？
5. 中国人爱吃米饭吗？
6. 美国人爱吃面包吗？
7. 美真很累吗？
8. 山口累不累？
9. 山口和美真都很渴吗？
10. 美真想去喝水吗？

二、叙述练习 / Depiction Drill.

1. 爱迪和美真都很饿，他们去食堂吃饭。美真要十五个饺子，爱迪要一碗面条儿。

   假设你是美真，说说这段话。/ Suppose you are Meizhen, tell the story.

   假设你是爱迪，说说这段话。/ Suppose you are Eddie, tell the story.

2. 爱迪和李老师在食堂吃饭，李老师吃馒头、鸡蛋和粥。爱迪爱吃面包，今天他也想吃馒头。

假设你是爱迪，说说这段话。/ Suppose you are Eddie, tell the story.

假设你是李老师，说说这段话。/ Suppose you are Teacher Li, tell the story.

3. 美真和山口不累，她们都很渴，她们去买水喝。

假设你是美真，说说这段话。/ Suppose you are Meizhen, tell the story.

假设你是山口，说说这段话。/ Suppose you are Yamaguchi, tell the story.

三、看图问答 / Look at the following pictures and answer the questions.

四、用正反疑问句问答 / Ask and answer questions with the affirmative-negative form.

1. 饿　2. 渴　3. 累　4. 爱　5. 吃　6. 喝　7. 要　8. 想　9. 去　10. 懂

五、听老师问，根据实际情况回答 / Answer your teacher's questions according to the actual conditions.

1. 你早饭吃什么？
2. 你爱吃馒头吗？
3. 你在食堂吃什么？
4. 你爱不爱吃饺子？
5. 你爱不爱吃面条儿？
6. 你早饭喝牛奶吗？
7. 现在你累不累？

8. 现在我有点儿渴，你呢？
9. 你爱喝中国啤酒吗？
10. 今天你一个人去吃早饭吗？

六、大家说 / Speak.

1. 说一说你今天去食堂吃饭的经过。
2. 说一说你爱吃什么。

中国生活常识介绍

Food

Chinese schools have regular dining halls where a home-style food is served. It is cheap and very convenient both for the students and the teachers. The daily menu is always displayed on a special board for anyone to choose according to one's taste and liking. Those who go to a bigger restaurant have to read the menu which usually looks like a big notebook. The content of a typical Chinese menu is divided into several main categories, with a particular dish as an example and a price as a reference.

Menu

(1) Cold Dishes：	拌三丝
	拌黄瓜
	油炸花生米
(2) Stir-fried Dishes：	鱼香肉丝
	宫保鸡丁
	古老肉
(3) Stewed Dishes：	白菜炖豆腐
	小鸡炖蘑菇
	乱炖

1. Staple Food:

米饭

面条儿

饺子

2. Soups

西红柿鸡蛋汤

酸辣汤

海米冬瓜汤

3. Beverages and Drinks:

生啤酒

可口可乐

果汁

第 7 课 黄瓜多少钱一斤？

Lesson 7 How much for a cucumber?

语音练习
Phonetics Exercises

1. shī—shí—shǐ—shì　xī—xí—xǐ—xì　jū—jú—jǔ—jù　yī—yí—yǐ—yì
2. shuǐguǒ　kěyǐ　nǐ hǎo　lěngyǐn　jǐngchá　lǚyóu　kěnéng　nǎiniú　zhěngqí　yǔyán

生词 New Words

黄瓜	（名）	huángguā	cucumber
钱	（名）	qián	money
斤	（量）	jīn	jin (1/2kg)
卖	（动）	mài	sell
这儿	（代）	zhèr	here
零	（数）	líng	zero
块	（量）	kuài	kuai
苹果	（名）	píngguǒ	apple
八	（数）	bā	eight
毛	（量）	máo	mao
报纸	（名）	bàozhǐ	newspaper
角	（量）	jiǎo	jiao
梨	（名）	lí	pear
土豆	（名）	tǔdòu	potato
杂志	（名）	zázhì	magazine
橘子	（名）	júzi	orange
香蕉	（名）	xiāngjiāo	banana
西红柿	（名）	xīhóngshì	tomato
太	（副）	tài	too

贵	（形）	guì	expensive
便宜	（形）	piányi	cheap
行	（动）	xíng	all right
能	（助动）	néng	can; be able to
那	（连）	nà	that
元	（量）	yuán	yuan
少	（形）	shǎo	few; little
正好	（形）	zhènghǎo	just right
找	（动）	zhǎo	give change
零钱	（名）	língqián	change
这些	（代）	zhèxiē	these
一共	（副）	yígòng	altogether
给	（动）	gěi	give
种	（量）	zhǒng	kind (a quantifier)
支	（量）	zhī	(a quantifier for pen; pencil; etc.)
又红又大		yòu hóng yòu dà	not only red but also big
喜欢	（动）	xǐhuan	like
甜	（形）	tián	sweet
酸	（形）	suān	sour
走	（动）	zǒu	go
别	（副）	bié	don’t
就	（副）	jiù	then

基本句
Sentences

1. A：请问，有笔吗？
   B：有，你要什么笔？
2. A：请问，哪儿卖本子？
   B：在这儿。你要几个？
3. A：书包多少钱一个？
   B：一百零三块。
4. A：黄瓜多少钱一斤？
   B：两块钱一斤。
5. A：苹果一斤多少钱？
   B：八毛。
6. A：这个多少钱？
   B：两块钱三斤。
7. A：你买多少？
   B：来两块钱的。

练习 / Practice

完成对话 / Complete the dialogues.

1. A：梨一斤多少钱？
   B：______________，你要几斤？
   A：来一斤吧。
2. A：土豆______________？
   B：一块钱二斤。
   A：我要_________钱的。
3. 用“杂志”“橘子”“香蕉”“西红柿”等词语练习问价格。/ Practice asking prices with “杂志” “橘子” “香蕉” “西红柿”。

1. A：太贵了，便宜点儿行不行？
   B：不行，不能便宜。
2. A：能不能便宜点儿？
   B：买10斤吧，可以便宜点儿。
3. A：便宜点儿行吗？
   B：好吧，便宜点儿。

练习 / Practice

完成对话 / Complete the dialogues.

1. A：香蕉多少钱一斤？
   B：两块三。
   A：__________________？
   B：那两块吧。
2. A：我买三斤苹果，能不能便宜点儿？
   B：__________________。
3. A：黄瓜一斤多少钱？
   B：一块五二斤。
   A：__________________？
   B：一元钱太少了，不行。

1. 你这是五块，正好。
2. 你这是三块，找您五毛。
3. 你这是十块，对不起，我没有零钱找你，你有零钱吗？
4. 这些一共七块三吗？我给你八块三，你找我一块吧。

练习 / Practice

完成对话 / Complete the dialogues.

1. A：我买三斤西红柿。
   B：三斤五块。你这是十块，____________。
2. A：这些一共多少钱？
   B：一共十二块四。
   A：我没有零钱，这是五十块。
   B：__________________。
3. A：我有零钱。三块七，对吧？
   B：对，__________________。

课 文
Texts

会话 1 Dialogue

（爱迪在小商店买笔和本子。/ Eddie is buying pens and notebooks in a little shop.）

爱　迪：这本子多少钱一个？
售货员：一块五一个。
爱　迪：笔呢？
售货员：这种笔八毛。
爱　迪：那种笔多少钱？
售货员：那种四块二。
爱　迪：要一个本子，一支那种笔，两支这种笔。
售货员：这些一共七块三。
爱　迪：给。
售货员：你这是十块——有三毛钱吗？
爱　迪：对不起，我没有。
售货员：那找你两块七。你看对吧？
爱　迪：对。

会话 2 Dialogue

（山口、美真在市场。/ Yamaguchi and Meizhen are in the market.）

山口：你看，这苹果又红又大。
美真：我喜欢吃苹果。（问卖主 / Asking the shopkeeper）这苹果甜不甜？

卖主：当然甜！

山口：酸不酸？

卖主：又甜又酸。买点儿吧。

美真：多少钱一斤？

卖主：五块钱二斤。

美真：可以便宜一点儿吗？

卖主：这不贵。不能便宜了。

山口：太贵了！走吧，美真，别买了。

卖主：好，那就两块一斤吧。

注释 Notes

1. 苹果多少钱一斤？

问价钱，用“名 + 多少钱 + 一 + 量词”“一 + 量词 + 名 + 多少钱”或“多少钱 + 一 + 量词 + 名”。如：

Asking about money, use “Noun + 多少钱 + 1 + Quantifier”, “1 + Quantifier + Noun + 多少钱”, or “多少钱 + 1 + Quantifier + Noun”, e.g.

鸡蛋多少钱一斤　　一斤鸡蛋多少钱　　多少钱一斤鸡蛋

中国市场常用的是市斤，平常叫“斤”。1斤是0.5公斤（千克），也就是：1公斤（千克）=2斤。

In Chinese market, what often used is 市斤, for shorten “斤”. 1 *jin* =0.5kg, that is 1kg=2 *jin*

2. 人民币的单位 / the monetary unit of *renminbi*：

元/块、角/毛、分。1元/块=10角/毛　1 角/毛=10分

1.00元读作一元/一块　　3.48元读作三元四角八分/三块四毛八

785.20元读作七百八十五元二角/七百八十五块两毛/七百八十五块二

3. 我给你八块三

“给 + 宾（人）+ 宾（事物）”是双宾语结构。注意：两个宾语的次序，指人的宾语在前，指事物的宾语在后。如：

"给 + Object（People）+ Object（Thing）" is the form of two objects. Pay attention to the order of the two objects: the first is the one referring to people; the second is the one referring to things, e.g.

（1）那找你两块七。

（2）他给我三个本子，我给他一支笔。

（3）我问他多少钱一斤。

4. 这苹果又红又大

"又＋形＋又＋形"表示具有两种性质。如：

"又 + Adjective + 又 + Adjective" denotes simultaneous existence of two qualities, e.g.

（1）那种苹果又甜又酸。

（2）他妈妈又年轻又漂亮。

（3）美真又渴又累。

5. 好，那就两块一斤吧。

"好"，表示同意（便宜一点儿）。

"好" expresses agreeing cheaper.

"那"也可以用"那么"。承接上文山口说的"太贵了"。意思是：你说太贵了，我就便宜一点儿，要两块吧。如：

"那" s also "那么", continuing the above what Yamaguchi said "too expensive". That means "since you said it was too expensive, I'll give you cheaper, only 2 yuan.", e.g.

（1）你没有零钱，那就给我十块吧。

（2）你渴了吗？那我们就去买水喝吧。

（3）喜欢吃苹果？那就买一斤吧。

 综合练习

Comprehensive Exercises

一、根据课文回答问题 / Answer questions according to the texts.

1. 爱迪买了什么？
2. 爱迪一共买了几支笔？
3. 爱迪一共用了多少钱？
4. 他有没有零钱？
5. 美真和山口喜欢吃苹果吗？
6. 又大又红的苹果好不好？
7. 那种苹果甜不甜？酸不酸？
8. 卖主要多少钱一斤？
9. 她们买没买？
10. 她们买的苹果多少钱一斤？

二、叙述练习 / Depiction Drill.

1. 和同学表演第一段故事。/ Act out the first dialogue with your classmates.
2. 假设你是美真或山口，说说第二段故事。/ Suppose you are Meizhen or Yamaguchi, tell the second stroy.
3. 假设你是卖主，说说第二段故事。/ Suppose you are the shopkeeper, tell the second story.

三、看下面的图，说出它们的名称，你知道它们多少钱一斤吗？/ Look at the following pictures, and tell the names and the prices of these things.

四、练习对话 / Dialogue Drill.

在市场买橘子。/ buy oranges in the market.

参考下面的词语：/ Reference words

多少钱　斤　贵　便宜　行　可以　一共　零钱　找　又……又……　别

五、大家说 / Speak.

1. 说一说你今天去食堂吃饭的经过。
2. 说一说你爱吃什么。

中国生活常识介绍

Going Shopping

In China, places where you can go shopping can be divided in the following categories: supermarkets, department stores, wholesale markets, street vendors, and fruit and vegetable markets. Of course the most convenient place to go shopping is a supermarket. As you enter, you have to deposit everything you bring from the outside in a safety box. While shopping, you have to pick the things you need by yourself. If you don't like what you have bought, you can usually return it. At a wholesale market, you have to buy goods by quantity. The price is lower than with the retail seller. The wholesale market also runs retail sales at the prices cheaper than a regular store. Street vendor stands are very popular and usually sell articles of everyday use. Also, you can bargain the price. Vegetable and fruit markets offer very fresh products and at a lower price than in regular stores. Here, you can also bargain the price, but no returns accepted.

第8课 存钱在哪个窗口？

Lesson 8 Which teller's window is for saving deposits?

语音练习
Phonetics Exercises

1. hǎochī běifēng běnlái bǐrú bǐjiào gǎnmào gǎijìn kǎo shì
2. suànshù fàndiàn jiàn miàn shèhuì huìyì shuì jiào

生词 New Words

存	(动)	cún	deposit
窗口	(名)	chuāngkǒu	window
劳驾	(动)	láojià	excuse me
要	(助动)	yào	want to
外币	(名)	wàibì	foreign currency
还是	(连)	háishì	or
人民币	(名)	rénmínbì	*Renminbi* (Chinese unit of currency)
取	(动)	qǔ	withdraw
美元	(名)	měiyuán	US dollar
签	(动)	qiān	sign
单子	(名)	dānzi	slip
存折	(名)	cúnzhé	deposit book
护照	(名)	hùzhào	passport
输入	(动)	shūrù	input
密码	(名)	mìmǎ	password
再	(副)	zài	again
输	(动)	shū	input
次	(量)	cì	time (a quantifier)
卡	(名)	kǎ	card
取款机	(名)	qǔkuǎnjī	ATM

银行	（名）	yínháng	bank
换	（动）	huàn	change; exchange
知道	（动）	zhīdào	know
牌价	（名）	páijià	quoted price
数	（动）	shǔ	count
一下儿		yíxiàr	once; all at once (a verbal quantifier)
日元	（名）	rìyuán	Japanese yen
欧元	（名）	ōuyuán	euro
收	（动）	shōu	keep
这样	（代）	zhèyàng	in this way
欢迎	（动）	huānyíng	welcome
错	（形）	cuò	wrong
哎呀	（叹）	āiyā	an interjection
忘	（动）	wàng	forget
回去	（动）	huíqù	go back
明天	（名）	míngtiān	tomorrow
哦	（叹）	ō	an interjection
没	（副）	méi	not; no
（写）上	（动）	(xiě) shàng	(put) on

基本句
Sentences

1. A：请问，存钱在哪个窗口？
   B：在那个窗口。

2. A：劳驾，我要存钱。
   B：存什么钱？外币还是人民币？

3. A：劳驾，我取500美元。
B：请在单子上签上你的名字。

4. A：这是我的存折和护照。
B：请输入密码。……再输一次。

5. A：请问，这卡是在这个取款机取款吗？
B：对。

6. A：这个取款机可以取美元吗？
B：可以。

练习 / Practice

完成对话 / Complete the dialogues.

1. A：请问，存钱在哪个窗口？
B：________________。

2. A：________________。
B：存人民币吗？
A：________________。
B：存多少？请填存款单。

3. A：劳驾，我取钱。
B：________________？
A：取1000元人民币。
B：________________。
A：这是我的存折和护照。

1. 劳驾，这个银行可以换钱吗？
2. 你换什么钱？
3. 我要用美元换人民币。
4. 你换多少美元？
5. 你知道今天的牌价是多少吗？
6. 100美元换多少人民币？
7. 100美元换683元人民币。
8. 这是2400元人民币，请数一下儿。

练习 / Practice

用指定的词在适当位置替换句中的词 / Do substitutions with the following words.

1. 劳驾，这儿可以换钱吗？（存钱、取钱）
2. 我用美元换人民币。（日元、欧元）
3. 100美元换683元人民币。（150、100、欧元）
4. 这是4352元人民币，请数好。（39051、收）

课　文
Texts

会话 1 Dialogue

（美真在银行。/ Meizhen is in the bank.）

美真：劳驾，我要存钱。

职员：您存美元还是人民币？

美真：美元。

职员：存多少？

美真：2000美元。

职员：有卡吗？

美真：有存折。

职员：来，给我。（数钱 / Counting money）这是2000美元。你取钱用密码还是用护照？

美真：用密码。

职员：请输入密码——再来一次——好。给您存折，请收好。欢迎再来。

会话 2 Dialogue

美真：劳驾，我要取钱。

职员：请给我存折。

美真：给。

职员：我看一下儿你的护照。……请输入密码。（美真输入密码。/ Meizhen inputs the password.）

职员：密码错了。再输入一次……再输一次。对不起，您的密码不对。钱不能取。

美真：哎呀，我忘了密码。

职员：回去想一想，明天再来一次吧。

会话 3 Dialogue

美真：请问，这儿可以换钱吗？

职员：可以。您换什么钱？

美真：美元换人民币。

职员：请看牌价。

美真：（看牌价表 / Looking at the quote price board）哦，100美元换683元人民币。

职员：对，您换多少？

美真：我换100美元。给。

职员：这是683元人民币。请数一数。

美真：没错。谢谢。

职员：（指着单子 / point at the slip）请在这儿签上你的名字。

美真：是在这儿吗？您看看，对不对？

职员：对。欢迎再来。

注释 Notes

1. 劳驾

请求别人帮忙时用的客气话。如：

“劳驾” is used when asking for some other’s favor, e.g.

（1）劳驾，这儿有笔吗？

（2）劳驾，这是二号楼吗？

2. 外币还是人民币？

“A + 还是 + B？”是表示选择问的句式，希望对方在A和B中选一个作为回答。回答可能是其中之一，也可能都选，也可能都不选。也可以用“是 + A + 还是 + B?”还可以用多个“还是”。如：

“A + 还是 + B?” is used in an alternative question, hoping the spoken one choose A or B as the response. The answer could be one of A and B, or both, or both not. “是 + A + 还是 + B?” is also used. More than one “还是” could be used, e.g.

（1）A：你用密码还是用护照取？

B：用密码取。

（2）A：你买笔还是买本子？

B：我买笔。

（3）A：爱迪今天早饭吃馒头还是吃面包？

B：他吃馒头。

（4）A：你喜欢苹果还是喜欢梨？

B：我都喜欢。

（5）A：他去银行是取钱？还是存钱？还是换钱？

B：都不是，他去看朋友。

3. 请数一下儿

“动词 + 一下儿”，表示动作短暂，是尝试性的。常用于要求别人或请求帮助时舒缓语气。也可以用“动词A + 一 + 动词A”表示，如下文的“想一想”“数一数”。还可以用动词重叠形式，即“A + A”，如下文的“您看看，对不对？”如：

"Verb + 一下儿" expresses the shortness (of time) and trying efforts. It is often used in relaxed and casual tone when asking for other's favor. The form "VerbA + 一 + VerbA" and "VerbA + VerbA" are both used in this condition, e.g.

（1）我看一下儿你的护照。

（2）请你数一数你的钱。

（3）我用一下儿你的笔，可以吗？

（4）你想一想，密码是多少？

（5）请您看看牌价就知道了。

注意：这种形式不能用于表示劝阻。如：

Pay attention: this form can't be used in dissuasion, e.g.

*你别看看了，走吧。

你别看了，走吧。

用于叙述过去的事，表示动作短暂时，用"动词 + 了 + 一下儿""动词 + 了 + 动词"。不能说"看看了""想想了"。如：

If the act has already taken place or is completed, to express the shortness of time, the forms "Verb + 了 + 一下儿" and "VerbA + 了 + VerbA" are used. It is incorrect to say "看看了" "想想了", e.g.

（1）我们去市场看了看。

（2）她看了一下儿牌价，就走了。

注意：这种格式不能用于表示进行的动作，也不能用于疑问句。如：

Pay attention: this form can't be used to express the progression of an act or be used in a question, e.g.

*他在看看课文。你写了写生词吗？

他在看课文。你写生词了吗？

综合练习

Comprehensive Exercises

一、根据课文回答问题 / Answer questions according to the texts.

1. 美真想存美元还是欧元？
2. 美真有存折吗？
3. 美真存了二百美元，对吗？
4. 美真想用密码取钱吗？
5. 取钱要不要看护照？
6. 美真取钱了吗？为什么？
7. 今天的牌价是多少？
8. 美真数没数钱？
9. 美真换没换钱？
10. 她在单子上写上名字了吗？

二、叙述练习 / Depiction Drill.

1. 两个同学，假设一个是美真，一个是银行职员，表演第一段对话。/ Suppose one student is Meizhen and the other is the bank employee, act the first dialogue.
2. 假设你是美真，说说第二段故事。/ Suppose you are Meizhen, tell the second story.
3. 假设你是银行职员，说说第二段故事。/ Suppose you are the bank employee, tell the second story.
4. 两个同学，假设一个是美真，一个是银行职员，表演第三段故事。/ Suppose one student is Meizhen and the other is the bank employee, act the third dialogue.

三、看图，根据图里的情景，参考提示的词语，编写对话 / **Make up a dialogue according to the following picture and the reference words.**

1　　　　2

（想　签　密码　护照　取款单　数一数　牌价　看一看　写上　欢迎　再来　输入　再来一次　错了　想想　对了）

四、选择填空 / **Choose the right words to fill in the blanks.**

再　换　还是　欢迎　取　了　忘　这样　签　懂

1. 爱迪听（　　）了老师的话。
2. 我用人民币（　　）美元。
3. 美真数（　　）数她的钱，说：“对了。”
4. 请（　　）上你的名字。
5. 请问，（　　）填对吗？
6. 他去教室（　　）本子了。
7. 请你（　　）输一次密码。
8. 哎呀，对不起，我（　　）了她的名字。
9. 再见，（　　）再来。
10. 你买笔（　　）买本子？

五、听老师问，根据实际情况回答问题 / Answer your teacher's questions according to the actual conditions.

1. 你在银行存钱了吗？
2. 你会不会在单子上签名字？
3. 你在取款机上取钱了吗？
4. 你用密码取钱还是用护照取钱？
5. 你知道什么银行可以换钱吗？
6. 你在哪儿换人民币？
7. 你用美元还是用欧元换人民币？
8. 现在牌价是多少？
9. 你会用取款机吗？
10. 你签名字用汉语还是用英语？

六、大家说 / Speak.

1. 你在哪儿存钱了？说说经过。
2. 你换钱了吗？说一说换钱的经过。

中国生活常识介绍

Currency Exchange

Foreign students upon their arrival in China should exchange their domestic currency to Chinese yuan. Most banks offer that service. The exchangeable types of foreign currency include US dollar, Japanese yen, Swiss franc etc. Before the exchange, it is necessary to consult the current exchange rate usually displayed on a huge board in the main hall (the quote price board). In order to accomplish the exchange transaction, the bank teller needs to see your passport. As your identity has been confirmed, the bank teller will calculate the amount according the the current exchange rate, give you a currency exchange slip to sign, and finally give you the desired amount.

第9课 你给他打手机吧！

Lesson 9 Call him on the cellphone!

生词 New Words

给	（介）	gěi	for; to
打	（动）	dǎ	call
手机	（名）	shǒujī	mobile phone
喂	（叹）	wèi	hello
找	（动）	zhǎo	look for
留学生	（名）	liúxuéshēng	overseas student
出去	（动）	chūqù	go out
事	（名）	shì	matter; thing; business
怎么	（副）	zěnme	how
到	（动）	dào	reach; arrive
办	（动）	bàn	handle
开	（动）	kāi	open; turn on
帮	（动）	bāng	help
转告	（动）	zhuǎngào	send word
黄飞	（专名）	Huáng Fēi	a Chinese name
拨打	（动）	bōdǎ	dial
用户	（名）	yònghù	user
已	（副）	yǐ	already
关	（动）	guān	close; turn off
还	（副）	hái	still
通	（动）	tōng	connect
急事	（名）	jíshì	emergency
别的	（代）	biéde	other
办法	（名）	bànfǎ	way; means
网吧	（名）	wǎngbā	net bar
电脑	（名）	diànnǎo	computer

告诉	（动）	gàosu	tell
邮箱	（名）	yóuxiāng	e-mail
发	（动）	fā	send
邮件	（名）	yóujiàn	Email
上	（动）	shàng	go to
街	（名）	jiē	street
约	（动）	yuē	date
电影	（名）	diànyǐng	movie
差点儿	（副）	chàdiǎnr	nearly
电	（名）	diàn	electricity
让	（动）	ràng	let; ask
电影院	（名）	diànyǐngyuàn	cinema
门口	（名）	ménkǒu	doorway
等	（动）	děng	wait
不见不散		bú jiàn bú sàn	no seeing; no leaving
麻烦	（动）	máfan	bother; trouble

基本句
Sentences

1. A：喂，你好！
   B：你好！请问找谁？
2. A：喂，请问是留学生宿舍吗？
   B：对不起，你打错了。
3. A：你好，这是留学生宿舍。
   B：你好，请问爱迪在吗？

4. A：他不在宿舍，你给他打手机吧。
   B：请问他的手机号码是多少？

练习 / Practice

打电话 / Make a telephone call.

用下列词语在基本句的适当位置进行替换。

Do substitutions with these words.

“中国学生宿舍”“李老师家”“爱迪家”“山口的宿舍”“黄飞”“李老师”“爱迪”“山口”

1. A：对不起，他出去了。
   B：我找他有事，您能告诉我怎么能找到他吗？
2. A：怎么办？他没开机。
   B：您找他什么事？要不要我帮你转告他？

练习 / Practice

完成对话 / Complete the dialogues.

1. A：请问，______________________？
   B：对不起，他不在家。
   A：______________________？
   B：你给他打手机吧。
   A：______________________？
   B：13801239999.
2. A：喂，你好。
   B：请问，爱迪在家吗？
   A：______________________。
   B：我找他有事，您能帮我转告他吗？
   A：______________________，什么事？请说吧。

课　文
Texts

会话 1 Dialogue

学生：喂，你好！
爱迪：你好！请问这是8号楼304宿舍吗？
学生：是，您找谁？
爱迪：请问黄飞在吗？
学生：他不在。你打他手机吧。
爱迪：你知道他的手机号码吗？
学生：13933464210。
爱迪：谢谢！
学生：不客气。

会话 2 Dialogue

（爱迪拨打电话。/ Eddie is dialing.）
电话员：对不起，您拨打的用户已关机。
（爱迪再拨电话。/ Eddie is dialing again.）
爱迪：喂。
学生：您好！8号楼304房间。
爱迪：对不起，还是我。
学生：没关系，您还有什么事？
爱迪：黄飞的手机不通，我找他有急事，您有别的办法找到他吗？
学生：这……哦，对了，他在网吧。您那儿有电脑吗？
爱迪：太好了，我有电脑。请您告诉我他的邮箱吧，我给他发邮件。
学生：huang2304123@yahoo.com

会话 3 Dialogue

爱迪：喂，是美真吗？

山口：爱迪吗？美真不在，我是山口。

爱迪：哦，山口，你好。美真去哪儿了？

山口：她上街了。

爱迪：上街了？她跟我约好了去看电影啊。

山口：哎呀，我差点儿忘了，她上街有急事，给你打电话，没打通，可能是你的手机没电了。

爱迪：是我的手机卡没钱了。

山口：她让我转告你，她在电影院门口等你，不见不散。

爱迪：哦，麻烦你了，山口，谢谢你！

注释 Notes

1. 喂。

叹词。中国人打电话、接电话时常用“喂”作招呼语，也可以说“你好”。接电话的还可以自报家门，即铃响后拿起电话说出自己的处所或电话号码。

This is a modal particle. When Chinese pick up telephone, they always say “喂” and “你好”. And they often tell their own address or telephone number after picking up the telephone.

2. 对了。

表示想起来了。有时正在说一件事或做一件事时，又想起另一件事，用“对了”转移话题。如：

“对了” expresses one suddenly remembering something. Sometimes when people talk about or do something and suddenly hit some other thing, “对了” is used in this condition to transfer the topic, e.g.

（1）怎么办？对了，给他家打个电话吧。

（2）你等一下儿，我吃了饭咱们就走。对了，你吃没吃饭？

（3）给你钱。对了，我还要买二斤香蕉，一共多少钱？

3. 差点儿忘了。

意思是，快要忘了，但没忘。也可以说“差点儿没忘了”。用于不希望的事时，“差点儿……”和“差点儿没……”都表示后面的动作没实现。如：

“差点儿忘了” means nearly forgetting, but didn’t forget. This could also be “差点儿没忘了”. When used for things hoping not to happen, “差点儿……” and “差点儿没……” both denote the act not coming ture, e.g.

（1）我差点儿说错了。（没说错 didn’t say wrong）

（2）这事我差点儿没忘了告诉她。（没忘告诉 didn’t forget to tell）

（3）昨天他差点儿找错了钱。（没找错 didn’t give wrong）

4. 她让我转告你……

这是兼语句，“她”是“让”的主语，“我”是“让”的宾语，又是“转告你”的主语，一身兼二职，所以叫“兼语”。这一类的动词还有“叫”“使”“令”等。如：

This is a pivotal sentence. “她” is the subject of “让”. “我” is the object of “让” and the subject of “转告你”. This element is called the pivot. “叫” “使” “令” are all this kind of verbs, e.g.

（1）美真让山口转告爱迪她上街了。

（2）妈妈让我去买苹果。

（3）老师叫我去教室。

（4）这件事真使人高兴。

（5）她的话令人哭笑不得。

Comprehensive Exercises

一、根据课文回答问题 / Answer questions according to the texts.

1. 黄飞住在几号楼？
2. 黄飞有没有手机？
3. 13933464210是谁的电话号码？
4. 黄飞的手机打通了吗？
5. 爱迪给黄飞的宿舍打了几次电话？
6. 黄飞去哪儿了？
7. 美真和爱迪约好了做什么？
8. 美真在宿舍等爱迪吗？
9. 美真让山口转告爱迪什么事？
10. 什么叫“不见不散”？

二、叙述练习 / Depiction Drill.

1. 爱迪给黄飞打电话，黄飞不在宿舍，黄飞的同屋知道他的手机号码，告诉了爱迪。爱迪又给黄飞打手机，可是黄飞的手机没开机。爱迪从黄飞的同屋那儿知道了黄飞的邮箱，给黄飞发了邮件。

   （1）假设你是爱迪，说一说这个故事。/ Suppose you are Eddie, tell this story.

   （2）假设你是黄飞的同屋，说说这个故事。/ Suppose you are Huang Fei's roommate, tell this story.

   （3）假设你是黄飞，说说这个故事。/ Suppose you are Huang Fei, tell this story.

2. 爱迪和美真约好了去看电影，可是美真有急事，上街了。她给爱迪打电话，没打通。她让山口转告爱迪，她在电影院门口等爱迪，不见不散。

   （1）假设你是爱迪，说说这个故事。/ Suppose you are Eddie, tell this story.

   （2）假设你是山口，说说这个故事。/ Suppose you are Yamaguchi, tell this story.

（3）假设你是美真，说说这个故事。/ Suppose you are Meizhen, tell this story.

三、编写一段对话，参考下面内容和词语 / Make up dialogues with the following conditions and reference words.

1. 打电话约朋友看电影。（喂、电影院、门口、不见不散、等）
2. 打电话找山口，山口不在。（喂、转告、手机、号码、不通、开机、关机、急事）
3. 打电话问朋友的邮箱。（喂、网吧、电脑、邮箱、发、邮件）

四、选择填空 / Choose the right words to fill in the blanks.

不见不散　办法　麻烦　告诉　约　别的　差点儿　让　怎么　给

1. 爱迪（　　　　）美真打电话，美真不在。
2. 她今天（　　　　）忘了换钱。
3. 他们没（　　　　）我网吧在哪儿。
4. 朋友给我打电话，说两点在教室门口等我，（　　　　）。
5. （　　　　）你转告山口，老师让她去一下儿。
6. 你太忙了，（　　　　）他去吧。
7. 这种苹果太酸，我们再看看（　　　　）吧。
8. 你今天跟谁去看电影？（　　　　）好了吗？
9. 请你告诉我（　　　　）换钱，好吗？
10. 我想跟他联系，你有（　　　　）吗？

五、听老师问，根据实际情况回答 / Answer your teacher's questions according to the actual conditions.

1. 你给朋友打电话，朋友不在，你怎么办？
2. 你给朋友打手机，你朋友关机，电话里说什么？
3. 你用电脑给哥哥（姐姐）发邮件了吗？
4. 你有几个邮箱？

5. 你上网吧看邮件吗?
6. 你在这儿看电影了吗?
7. 你跟谁看电影了?
8. 你跟朋友上街有急事吗?
9. 你有没有中国朋友?
10. 你跟中国朋友学汉语吗?

六、大家说 / Speak.

1. 说一次你给你家打电话打不通的经过。
2. 说一次给朋友打手机，打不通的经过。
3. 说一次你在网吧发邮件的经过。

中国生活常识介绍

Making Phone Calls

Here are some useful tips about making phone calls in China:

1. There are public phones operated by individuals. The fee is based on the calling time and it must be paid on site.
2. IC card phones. Streets, airports all have such public phones. You just need to insert the card into a slit above and dial the desired number.
3. IP long-distance cards.They cannot be used with the mobile phones. First, dial the card number and the code, and then simply dial a desired number.
4. Internet cards.These can be used to chat through the internet phones. The fee is as cheap as that for the internet use.

Emergency Numbers

110—— to report a crime

112—— to report problems with the inner city phone line

114—— the inner city phone number inquiry service

117—— to enquire about time

119—— to report fire emergency

120—— to report health emergency

121—— to hear the weather forecast

122—— to report a car accident

第10课 去学校图书馆怎么走？

Lesson 10 How to get to the school library?

生词 New Words

学校	（名）	xuéxiào	school
图书馆	（名）	túshūguǎn	library
一直	（副）	yìzhí	continuously
往	（介）	wǎng	to; in the direction of
前	（名）	qián	front
前面	（名）	qiánmiàn	in the front
路口	（名）	lùkǒu	crossing
左	（名）	zuǒ	left
拐	（动）	guǎi	turn
附近	（名）	fùjìn	nearby
教学楼	（名）	jiàoxuélóu	teaching building
西	（名）	xī	west
边	（名）	biān	side
公安局	（名）	gōngānjú	police station
顺着	（介）	shùnzhe	along
马路	（名）	mǎlù	road; street
过	（动）	guò	across; pass
十字	（名）	shízì	cross
医院	（名）	yīyuàn	hospital
邮局	（名）	yóujú	post office
中间	（名）	zhōngjiān	in the middle
商店	（名）	shāngdiàn	shop
出口	（名）	chūkǒu	exit
南	（名）	nán	south
北	（名）	běi	north
右	（名）	yòu	right

除了……以外		chúle... yǐwài	except... that
东	（名）	dōng	east
办公楼	（名）	bàngōnglóu	office building
后	（名）	hòu	back
遍	（量）	biàn	time (a quantifier)
光盘	（名）	guāngpán	CD
电梯	（名）	diàntī	elevator
电视	（名）	diànshì	television
旁边	（名）	pángbiān	side
指示牌	（名）	zhǐshìpái	instruction board
上面	（名）	shàngmiàn	above; over
着	（助）	zhe	(an aspectual particle)

基本句
Sentences

1. A：请问，去图书馆怎么走？
   B：一直往前走，到前面路口往左拐。
2. A：请问，附近有银行吗？
   B：有，就在那儿，教学楼的西边有个银行。
3. A：劳驾，您知道公安局在哪儿吗？
   B：顺着马路这边走，过了十字路口就是公安局。
4. A：我去医院，这样走对吗？
   B：对，医院就在邮局和宿舍中间。
5. A：商店的出口在左边还是右边？
   B：南门在左边，北门在右边。除了这些以外，还有个西门在前边。

练习 / Practice

一、完成句子 / Complete the following sentences.

1. ______________，去图书馆怎么走？
2. 一直______________走，到前面路口往左拐。
3. 请问，附近_________卫生间吗？
4. ______________银行在哪儿吗？
5. 我去公安局，______________对吗？

二、用下面的词语替换画线的词语，参考基本句问答 / Do substitutions with the following words.

1. A：请问，去图书馆怎么走？
   B：往前走，到路口往右拐。

   银行
   邮局
   商店
   公安局
   医院

2. A：请问，卫生间在哪儿？
   B：一直往前走就看见了。

   商店出口
   电梯
   教室
   图书馆

3. 邮局在公安局和商店中间。

   银行　医院
   图书馆　宿舍
   教室　图书馆

课　文
Texts

会话 1 Dialogue

（爱迪想去图书馆，向同学问路。/ Eddie wants to go to the library. He is asking the way.）

爱迪：请问，学校图书馆在哪儿？

同学：从这儿往前走，到办公楼往右拐，是个邮局，图书馆就在邮局的后边。

爱迪：对不起，请您再说一遍，好吗？

同学：这样吧，您跟我走吧，我去邮局。

爱迪：那太好了！麻烦您了！

会话 2 Dialogue

（山口和美真在商店。/ Yamaguchi and Meizhen are in a shop.）

山　口：光盘在哪儿？你看见了吗？

美　真：我也没看见。（问售货员 / Asking the shop assistant）请问，光盘在哪儿卖？

售货员：在五楼。出了电梯往左走，是卖电视的，过了卖电视的是卖手机的，再往前走就是卖光盘的。

山　口：谢谢！（对美真 / To Meizhen）你懂了吗？

美　真：没懂。走吧，到五楼再问。

山　口：哎呀，我想去卫生间。（问售货员 / Asking the shop assistant）请问，哪儿有卫生间？

售货员：电梯旁边有指示牌，上面写着WC。

美　真：谢谢。（到了五楼，走出电梯 / Arrive the 5th floor, walk out of the elevator）你看，指示牌！

山　口：噢，卫生间在这儿。光盘在那儿。

注释 Notes

1. 除了这些以外，还有个东门在前边。

意思是这里有前面说的南门、北门，还有东门。“除了……以外，还……”这个格式表示排除对方已经知道的，补充其他的。如：

Means that besides the south gate and the north gate, there is also an east gate. “除了……以外，还……” is used to exclude what is known and supplement with something new, e.g.

（1）爱迪除了买笔以外，还买了本子。

（2）美真除了学汉语以外，还学英语。

（3）中国人除了爱吃馒头以外，还爱吃米饭。

2. 电梯左边是卖电视的。

“卖电视的”是卖电视的地方。“动词语 + 的”表示跟动词语有关系的名词语意义。“早饭吃的是面包”是早饭吃的东西是面包。这个结构一般表示跟动词有关系的人。如“开车的没来”是开车的人没来。“问问卖菜的”是问问卖菜的人。

“卖电视的” means the place selling televisions. “Verb + 的” refers to a person or thing. “早饭吃的是面包” means what ate for breakfast is bread. This structure often refers to the occupation, profession, etc., that a person is engaged, e.g. “开车的没来” means the driver dosen’t come. “问问卖菜的” means to ask the vegetable-seller.

3. 到五楼再问。

意思是到五楼以后问厕所在哪儿。“动词语1 + 再 + 动词语2”，表示先做动词1表示的动作行为，然后做动词语2表示的动作行为。两个动作行为的重点在前一个上。“再”的读音比表示重复义的“再一次”的“再”轻。比如：“别看了，吃了饭再看吧。”“看完生词再看课文”的“再”要轻读；“请再说一遍”“再往前走”的“再”读音要重。

Means ask where the toilet is after getting to the fifth floor. “Verb 1 + 再 + Verb 2” denotes first do action 1, then do action 2, which action 1 is the main one. The pronunciation of this “再” is slighter than the “再” in “再一次” meaning again,e.g. In “别看了，吃了饭再看吧。” and “看完生词再看课文”, “再” is not stressed. But in “请再说一遍” and “再往前走”, “再” is stressed.

4. 上面写着WC。

这是表示静止状态持续存在的句式：“方位词 + 动词 + 着 + 名词”。如：

This sentence indicates the state is still continuing: “Location + Verb + 着 + Noun”, e.g.

（1）椅子上坐着一个人。

（2）桌子上放着书。

（3）黑板上写着字。

综合练习

Comprehensive Exercises

一、根据课文回答问题 / Answer questions according to the texts.

1. 学校有没有图书馆？
2. 学校有邮局吗？
3. 邮局在图书馆附近吗？
4. 邮局在图书馆的左边还是右边？
5. 爱迪怎么去图书馆？
6. 山口想买什么？
7. 请你说说买CD怎么走。
8. 商店的厕所在哪儿？
9. 厕所的指示牌上写着什么？

二、参考课文或下面的短文，进行叙述练习 / Do depiction drill according to the texts or the following paragraph.

1. 这个学校很大，有很多宿舍楼、教学楼、办公楼。图书馆很大，有很多书。爱迪想去图书馆，可他不知道去图书馆怎么走。他问一个同学，同学告诉了他，可是他不太懂。同学说他去图书馆附近的邮局，让爱迪跟他走。这真是太好了！

（1）假设你是爱迪，说说这个故事。/ Suppose you are Eddie, tell the story.

（2）假设你是那个同学，说说这个故事。/ Suppose you are the student, tell the story.

2. 山口和美真想买光盘。商店的售货员说，五楼电梯的左边是卖电视的，再往前走是卖手机的，过了卖手机的就是卖光盘的。商店的卫生间在电梯旁边，那儿有指示牌，上面写着WC。她们不太懂售货员的话，可是她们找到了。

（1）假设你是山口，说说这个故事。/ Suppose you are Yamaguchi, tell the story.

（2）假设你是美真，说说这个故事。/ Suppose you are Meizhen, tell the story.

三、看图，用表示持续存在的"着"表述出来 / Describe the following pictures with "着".

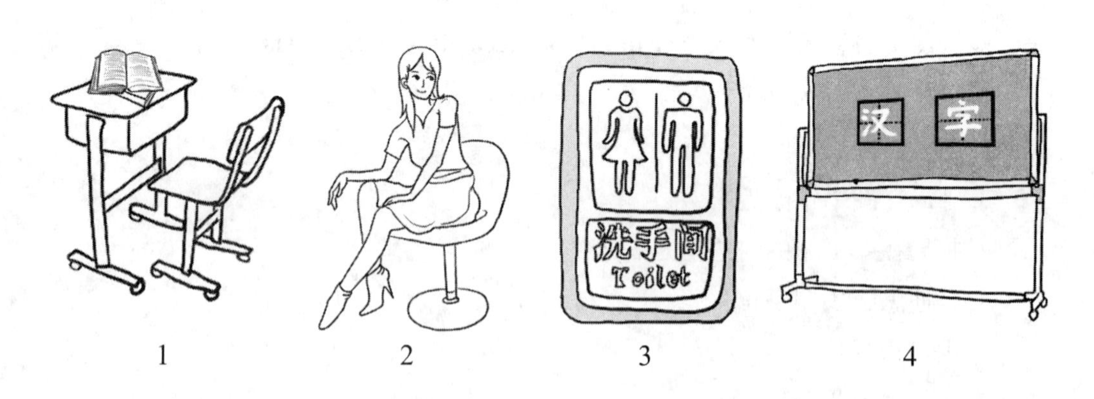

1 2 3 4

四、看下图，参考所给词语练习问路和回答 / **Practice asking ways according to the following pictures and words.**

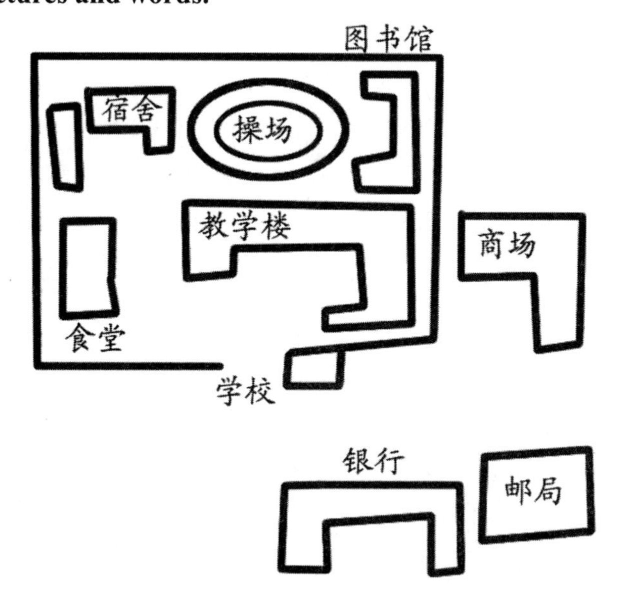

（在　有　中间　是　一直　往　拐　路口　前　后　左　右　东　西　南　北）

五、就下面句子练习用“吗”“吧”“A不A？”“A还是B？”提问。/ **Ask questions with “吗” “吧” “A不A?” “A还是B?”.**

1. 我的电话号码是8973。
2. 爱迪在初级五班。
3. 他是英国人。
4. 邮局在图书馆前边。
5. 玛丽坐在美真后面。

六、大家说 / **Speak.**

1. 说一说从这儿去你的宿舍怎么走。
2. 说一说从你宿舍去商店怎么走。
3. 说一说从你宿舍去邮局怎么走。

中国生活常识介绍

Asking for directions

Chinese streets on the north-south axis are usually called "街", on the east-west "路". The street names are often borrowed from names of places, e.g. "北京街", "天津街", "上海路" etc. If we are not familiar with a place, we will inevitably have to ask for directions. When asking for directions, it is very important to use a correct and polite form of address. Some phrases most useful in such situations are listed below.

对不起，打扰一下，您能告诉我去×××怎么走吗？

(Sorry to bother you, could you please tell how to go to X ?)

先生，请问，我想去×××，这样走对吗？

(Sir, I want to get to X, is this the right way ?)

师傅，麻烦您告诉我去火车站怎么走？好吗

(Sir, sorry to trouble you, but could you tell me how to get to the train station?)

小姐，您知道去火车站在哪儿转车吗？

(Miss, do you know where I have to change the bus to get to the train station?)

Of course it is necessary to be familiar with north-south, east-west directions, as well as the right and the left side, intersections and other related terms.

第11课

今天星期几？

Lesson 11 What day of the week is it today?

生词 New Words

星期	（名）	xīngqī	week
点	（名）	diǎn	o'clock
号	（名）	hào	date; number
年	（名、量）	nián	year
月	（名）	yuè	month
日	（名）	rì	date
昨天	（名）	zuótiān	yesterday
时候	（名）	shíhou	time; moment
下午	（名）	xiàwǔ	afternoon
半	（量）	bàn	half
天	（量）	tiān	day
明天	（名）	míngtiān	tomorrow
回	（动）	huí	back
明年	（名）	míngnián	next year
多	（副）	duō	how
长	（形）	cháng	long
时间	（名）	shíjiān	time
只	（副）	zhǐ	only
分钟	（名）	fēnzhōng	minute
上午	（名）	shàngwǔ	morning
小时	（名）	xiǎoshí	hour
已经	（副）	yǐjing	already
下	（名）	xià	next
迟到	（动）	chídào	late
快	（形）	kuài	quick; fast
起床		qǐ chuáng	get up

都	（副）	dōu	all
来得及		láidejí	there's still time
晚上	（名）	wǎnshang	evening
才	（副）	cái	just; only
睡觉		shuì jiào	fall asleep
早	（形）	zǎo	early
早晨	（名）	zǎochén	early morning
就	（副）	jiù	just
生日	（名）	shēngrì	birthday
祝	（动）	zhù	wish
快乐	（形）	kuàilè	happy
后天	（名）	hòutiān	the day after tomorrow
周末	（名）	zhōumò	weekend
岁	（名）	suì	year old
有意思		yǒu yìsi	interesting

基本句
Sentences

1. A：现在几点了？
   B：八点。
2. A：今天几号？
   B：今天是2008年7月21日，星期一。
3. A：昨天星期几？
   B：昨天星期三。
4. A：他什么时候来这儿？
   B：他说下午三点半来。

5. A：你哪天去图书馆？
   B：明天去。
6. A：他什么时候回国？
   B：明年三月。

练习 / Practice

完成句子或对话 / Complete the sentences.

1. A：今天________号？
   B：______________________。
2. 爱迪________四去图书馆。
3. 明天星期天，昨天星期________。
4. 我们________上课，________下课。
5. A：他们__________________？
   B：他们十二点去图书馆。
6. A：你什么时候回国？
   B：______________________。

1. A：你看了多长时间的书？
   B：只看了二十分钟。
2. A：你们上午上四个小时课吗？
   B：对，四个小时。
3. A：你学几个星期汉语了？
   B：已经三个星期了。
4. A：你什么时候回家？
   B：下个月25号，还有一个月。
5. A：你来中国多少天了？
   B：二十天了。

练习 / Practice

完成对话 / Complete the dialogues.

1. A：今天生词多不多？
   B：很多，美真和山口写了＿＿＿＿＿＿＿＿。
2. A：＿＿＿＿＿＿＿＿＿＿＿＿＿＿＿？
   B：我来这儿已经一个月了。
3. A：山口几月来的？
   B：＿＿＿＿＿＿＿＿＿＿＿＿＿＿＿＿＿。
4. A：你们今天学习了几个小时？
   B：＿＿＿＿＿＿＿＿＿＿＿＿＿＿＿＿＿。
5. A：我们八点上课，八点五十分你才来。你迟到了多长时间？
   B：＿＿＿＿＿＿＿＿＿＿＿＿＿＿＿＿＿。

课　文
Texts

会话 1 Dialogue

山口：啊？快起床，都7点35了！

美真：真的？要迟到了吧？

山口：快点儿走，还来得及。

美真：又不能吃饭了！

山口：喝杯牛奶吧。

美真：昨天晚上看书时间太长了！

山口：是啊，看了四个小时，12点半才睡觉，太累了！

美真：今天晚上咱们早点儿睡觉吧，明天早晨早点儿起床。

山口：好，咱们十点就睡。

会话 2 Dialogue

美真：今天几号了？

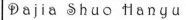

山口：今天20号了，我们来这儿都一个月了。

美真：啊？20号了！我要过生日了！

山口：真的？祝你生日快乐！

美真：谢谢！还有两天呢！

山口：我看看，今天星期四，明天星期五21号，后天星期六22号，正好周末休息！

美真：太好了，在中国过18岁生日，多有意思啊！

注释 Notes

1. 问时点，常用"哪""几"：哪年、哪月、哪天，几号、星期几、几点、几分。顺序按×年×月×日 星期×排列。

Asking about time and date, use the words "哪" and "几"：哪年、哪月、哪天，几号、星期几、几点、几分。The order is ×年×月×日 星期×。

从今天往前数：

昨天yesterday、前天the day before yesterday；

往后数：明天tomorrow、后天the day after tomorrow。

从今年往前数：

去年last year、前年the year before last year；

往后数：明年next year、后年the year after next year。

从这个星期往前数是上星期last week；往后数：下星期next week。

从这个月往前数是上个月last month；往后数：下个月next month。

2. 问时段，用"多长时间""几（多少）年""几（多少）个月""几（多少）个星期/周""几（多少）天""几（多少）个小时""几（多少）分钟"。注意，"年""天"周"分"前不用量词"个"；"月""星期""小时"前用量词"个"。

Asking about a period of time, use “多长时间” “几/多少年” “几/多少个月” “几/多少个星期/周” “几/多少天” “几/多少个小时” “几/多少分钟”. Pay attention: there is no quantifier “个” before “年” “天” 周 “分” and there is the quantifier “个” before “月” “星期”“小时”.

3. 都7点35了。

“都＋时间＋了” 表示说话人认为时间晚或者长。如：

“都＋Time＋了” suggests that the speaker considers the time is late or long, e.g.

（1）我们来这儿都一个月了。

（2）都两点了，我们还没睡觉。

（3）今天都10点了我才起床。

4. 12点半才睡

“时间＋才＋动词” 表示说话人认为时间晚。如：

“Time＋才＋Verb” suggests that the speaker considers the time is late, e.g.

（1）她们7点35才起床。

（2）我们7点55分才去上课。

（3）她去年才学汉语。

（4）我昨天才来中国。

5. 十点就睡

“时间＋就＋动词” 表示说话人认为时间早或者短。如：

“Time＋就＋Verb” suggests that the speaker considers the time is early or short, e.g.

（1）还有两天就是我的生日。

（2）她今天五点就起床了。

（3）还有一周就回国了。

（4）我现在就去。

综合练习

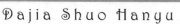

Comprehensive Exercises

一、根据课文回答问题 / Answer the questions according to the texts.

1. 山口和美真今天起来晚了吗？
2. 她们吃没吃早饭？
3. 她们为什么7点35才起床？
4. 昨天晚上她们看了多长时间的书？
5. 昨天晚上她们看书累不累？
6. 她们来中国多少天了？
7. 哪天是美真的生日？
8. 还有几天？
9. 美真的生日是星期几？
10. 朋友过生日时，你说什么？

二、看图中日历上的日期问答，用上下面的词语 / Ask and answer the questions according to the following pictures and words.

今天　明天　后天　昨天　前天　上星期　下星期　去年　明年……

三、参考下面词语，互相问答 / Ask and answer the questions with the following words.

1. 下面的时间你做什么了？

今天、昨天、前天、上午、早晨、八点半、大前天、去年、前年、上星期

2. 下面时间你想做什么？

明天、后天、大后天、早晨、中午、晚上、下星期、明年、后年

四、选择填空 / Choose the right words to fill in the blanks.

就　才　都

1. 美真太累了，十点（　　）睡了，山口十二点（　　）睡。
2. 她（　　）学习一个月汉语，听不懂你的话。
3. 现在（　　）十二点半了，她们还没下课。
4. （　　）八点十五了，爱迪还没来上课。
5. 美真去书店买书，找了很长时间（　　）找到。
6. （　　）十点了，你怎么（　　）来？
7. 爸爸工作很忙，（　　）十点了（　　）回家。
8. 时间真快，还有两周（　　）回国了。

五、听老师问，根据实际情况回答 / Answer your teacher's questions according to the actual conditions.

1. 你早晨几点起床？
2. 八点上课，七点半起床还来得及吗？
3. 我说“爱迪八点才来”，是说他来得早还是来得晚？
4. “我都来了二十分钟了”是说我来得早还是来得晚？
5. “她六点才来”是说她来得早还是来得晚？
6. 今天星期几？
7. 你来中国多长时间了？
8. 你什么时候回国？

9. 你昨天晚上看了多长时间的书?

10. 今天早晨你几点起床的?

六、**大家说 / Speak.**

1. 说说你一天的生活。

2. 说一次你迟到的事。

中国生活常识介绍

Birthday

When Chinese people celebrate birthday, customarily they eat boiled eggs and noodles. The eggs symbolize content, full satisfaction, while the noodles stand for longevity. Formerly, small children would only eat boiled eggs and noodles on their birthday. Their parents would buy them some small gifts but would not say any special birthday wishes. Only after a person has turned 50 years old, a grand birthday celebration would be held in their honor; the children would wish their parents a long life, while many relatives and friends would also arrive to join the birthday event. For the senior members of the family who already turned 60, 70, 80 years or older, the birthday ceremony would be particularly solemn.At present, however, certain western birthday-related customs have already penetrated deep into the Chinese society. For example, the children frequently buy a birthday cake with candles and invite a number of friends to celebrate together. The invited guests bring birthday gifts and the party begins. If an older person in the family is celebrating his/her birthday, it is not uncommon that except the most traditional gifts, the children also buy a birthday cake. So in modern China, the birthday ceremony is actually a hybrid of western and eastern customs.

第12课

你今年多大了？

Lesson 12 How old are you?

生词 New Words

出生	（动）	chūshēng	be born
老	（形）	lǎo	old
先生	（名）	xiānsheng	Mister
年纪	（名）	niánjì	age
老人家	（名）	lǎorénjia	elder; senior citizen
岁数	（名）	suìshu	age
属	（动）	shǔ	be born in the year of
羊	（名）	yáng	sheep
身高	（名）	shēngāo	stature
听说	（动）	tīngshuō	hear
米	（量）	mǐ	meter
山	（名）	shān	hill; mountain
高	（形）	gāo	high
箱子	（名）	xiāngzi	case; box; trunk
有	（动）	yǒu	have
重	（形）	zhòng	heavy
至少	（副）	zhìshǎo	at least
体重	（名）	tǐzhòng	weight
秘密	（名）	mìmì	secret
早上	（名）	zǎoshang	early morning
姑娘	（名）	gūniang	girl; miss
锻炼	（动）	duànliàn	do exercise
每	（代）	měi	every; each
打拳		dǎ quán	play boxing
唉	（叹）	āi	an interjection
猜	（动）	cāi	guess

哈	（叹）	hā	an interjection
儿子	（名）	érzi	son
冬冬	（专名）	Dōngdong	a name
阿姨	（名）	āyí	aunt
年龄	（名）	niánlíng	age
马	（名）	mǎ	horse
篮球	（名）	lánqiú	basketball
个子	（名）	gèzi	height
姚明	（专名）	Yáo Míng	a name
看样子		kàn yàngzi	it seems
技术	（名）	jìshù	technique
棒	（形）	bàng	good

基本句
Sentences

1. A：爱迪，你今年多大？
   B：我是1980年出生的。
2. A：老先生，您多大年纪了？
   B：我今年六十五了。
3. A：老人家，您多大岁数了？
   B：我八十一了。
4. A：小朋友，你几岁了？
   B：我五岁。
5. A：你属什么？
   B：我属羊。

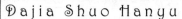

练习 / Practice

互相问年龄。

1. A：那个运动员身高多少？
   B：听说两米二六。

2. A：你知道这山多高吗？
   B：三千五百八十米。

练习 / Practice

互相问身高，问桌子、黑板、教学楼、宿舍楼的高度。

1. A：你说那个箱子有多重？
   B：至少有一百斤。

2. A：你体重多少？
   B：这是秘密。

练习 / Practice

互相问书包、桌子、椅子、词典的重量。

课 文
Texts

会话 1 Dialogue

（运动场上，美真跟一位老人聊天。/ On the playground, Meizhen is chatting with an elder.）

美真：老先生，早上好！

老人：早上好！姑娘，又来锻炼啊？

美真：是啊，每天都看见您打拳，您身体真好！

老人：唉，老了！

美真：您不老！您多大年纪了？

老人：这不能告诉你，这是秘密。

美真：真的啊？我猜猜吧，六十五岁？

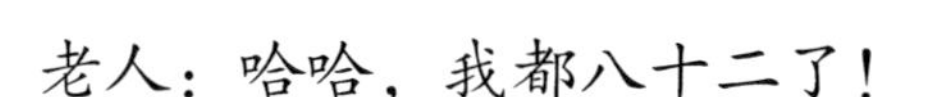

老人：哈哈，我都八十二了！
美真：啊？！

∴会话 2 Dialogue

（山口遇见了老师和她的孩子。/ Yamaguchi meets his teacher and the teacher's child.）

山口：李老师，您好！这是您儿子啊？真漂亮！
老师：对。冬冬，这是——
孩子：阿姨好！
山口：阿姨？
老师：你喜欢叫你姐姐吧？
山口：是啊，日本的"阿姨"年龄很大。
老师：对不起，冬冬叫山口姐姐。
孩子：山口姐姐好！
山口：冬冬好！冬冬几岁了？
孩子：我六岁。
山口：冬冬知道属什么吗？
孩子：知道，我属大马。

∴会话 3 Dialogue

（爱迪和中国朋友黄飞在看电视的篮球赛。/ Eddie and his Chinese friend Huang Fei are watching basketball game on TV.）

爱迪：那个中国篮球运动员个子真大，他叫什么名字？
黄飞：他就是姚明啊！你说他有多高？
爱迪：看样子有两米二。
黄飞：说对了，他身高两米二六。

爱迪：他的技术真棒！我很喜欢他。

黄飞：是啊，我们都喜欢他。

注释 Notes

1. 多大年纪？

中国人问年龄，问不同年龄的人用不同的词语。问老人用“多大年纪”“多大岁数”；问小孩儿用“多大”“几岁”；问年轻人用“多大”“十几”“二十几”。

Chinese use different expressions for asking different people's ages. For old people, use “多大年纪” “多大岁数”. For children, use “多大” “几岁”. For young people, use “多大” “十几” “二十几”.

2. 我猜猜

动词重叠。还可以说“猜一下儿”“猜一猜”。参见第八课注释3。

This is the reduplication of verbs. “猜一下儿” “猜一猜” are also used. R.e. Note 3 of Lesson 8.

3. 阿姨好！

这是孩子向年轻女性问好常用的方式，称呼年轻的男性用“叔叔”。“阿姨”常用于称呼跟自己妈妈年龄差不多的女性，“叔叔”用于称呼比自己爸爸年龄小的男性。中国人有尊敬长辈的习俗，称对方为长辈是对对方的尊重。现在有喜欢年轻称呼的倾向。

This is a usual children's address to young women. To address young men, “叔叔” is often used. “阿姨” is for the women who are in the same generation with oneself's mother. Chinese have the custom to regard people according to their age (age priority). This shows respect. Nowadays, there is a trend of liking younger addresses.

4. 属大马

中国有12属相：鼠、牛、虎、兔、龙、蛇、马、羊、猴、鸡、狗、猪。每年有相应的属相。

Chinese have 12 symbolic animals associated with a 12-year cycle: rat, ox, tiger, rabbit, dragon, snake, horse, sheep, monkey, rooster, dog and pig.

中国人说年龄往往用虚岁，即从出生时算起，出生就是一岁，过一年就加一岁。周岁，就是过一个生日算一岁。如果2005年12月的生日，到2006年1月，虚岁已经两岁了，而周岁还不到一岁——2006年12月才一周岁。所以中国人问“哪年生的”“属什么的”可以更确切地知道年龄。

When talking about one’s age, Chinese often use vain age. That is, counting from the time when the people was born. The time when one was born, he or she gained one year old. One year passing, the age adds one. On the other hand, the full age is only added when one birthday passes. So, if a baby was born in December, 2005, when in January, 2006, his vain age is two and his full age is less than one. So Chinese could get more true age if ask “哪年生的” “属什么的”.

5. 看样子有两米二。

“看样子”表示根据现有的情况估计。做插入语。如：

“看样子” is a parenthesis in the sentence. It indicates the estimate of a circumstance, e.g.

（1）看样子，他不会来了。

（2）看样子她不到20岁。

（3）看样子，这孩子不喜欢吃馒头。

（4）老人笑了，看样子我猜对了。

注意：“看样子”是插入语。作出估计的是“我”，但不出现在句子里。如：

Pay attention: “看样子” is a parenthesis. It is “我” making the estimate, but this “我” never appears in the sentence, e.g.

*我看样子他不喜欢看电影。

Comprehensive Exercises

一、根据课文内容回答问题 / Answer questions according to the texts.

1. 美真和老人是第一次见面吗？

2. 老人和美真每天都锻炼吗？

3. 老人身体好不好？
4. 美真猜对老先生的年龄了吗？
5. 李老师的孩子是男孩儿还是女孩儿？
6. 中国孩子叫年轻姑娘什么？
7. 这个孩子属什么？
8. 姚明是有名的运动员，对不对？
9. 爱迪和黄飞都喜欢姚明吗？
10. 姚明技术棒吗？

二、复述练习 / **Repeat drill.**

1. 参考括号里的词语 Referring to the words in the (　)
（早上、老先生、美真、锻炼、打拳、身体好、老、多大年纪、猜、不对）
（1）复述第一段内容。/ Repeat the first paragraph.
（2）假设你是美真，说说这段内容。/ Suppose you are Meizhen, tell the story.
（3）假设你是老人，说说这段内容。/ Suppose you are the elder, tell the story.
2. 参考括号里的词语，Referring to the words in the (　)
（老师、儿子、冬冬、山口、漂亮、阿姨、姐姐、叫、几岁、属什么、属马）
（1）复述第二段内容。/ Repeat the second paragraph.
（2）假设你是老师，说说这段内容。/ Suppose you are the teacher, tell the story.
（3）假设你是山口，说说这段内容。/ Suppose you are Yamaguchi, tell the story.
3. 参考括号里的词语，Referring to the words in the (　)
（爱迪、黄飞、姚明、运动员、个子、多高、多重、动作灵活、技术好、喜欢）
（1）复述第一段内容。/ Repeat the first paragraph.
（2）假设你是爱迪，说说这段内容。/ Suppose you are Eddie, tell the story.
（3）假设你是黄飞，说说这段内容。/ Suppose you are Huang Fei, tell the story.

三、看图，参考括号中的词语做对话练习 / **Complete the dialogues according to the following pictures and words.**

1　　2　　3

（多大年纪　多大岁数　几岁　多大　阿姨　老先生　叔叔　姐姐　哥哥　小朋友）

四、选择填空 / **Choose the right words to fill in the blanks.**

锻炼　猜猜　棒　秘密　听说　看样子　至少　有　技术

1. 这个老人每天（　　）身体，所以身体很好。
2. （　　）你明天回国，是真的吗？
3. 那个女孩子真高，（　　）有一米八。
4. 你（　　）他今年多大年纪了？
5. 那个运动员的身体太（　　）了！
6. 我的体重是（　　），不能告诉你。
7. 他又去那个电影了，（　　）他很喜欢那个电影。
8. 你说这张桌子（　　）多重？
9. 听说你会打篮球，你的（　　）棒不棒？

五、听老师问，根据实际情况回答 / **Answer your teacher's questions.**

1. 你多大了？

2. 你有多高?

3. 你想不想让别人知道你多重?

4. 在中国有孩子叫你阿姨(叔叔)吗?

5. 你喜欢孩子叫你阿姨(叔叔)还是姐姐(哥哥)?

6. 你知道你属什么的吗?

7. 你能说出十二属相吗?

8. 你喜不喜欢打篮球?

9. 你喜欢哪个篮球运动员?

10. 你每天早上锻炼身体吗?

六、大家说 / Speak.

1. 说说你喜欢什么运动，为什么喜欢这种运动。

2. 说说你们国家的人一般怎样称呼。

中国生活常识介绍

Forms of Address?

How should we address people meeting them for the first time? On the campus, the answer is easy: If a person is a teacher, we should say, “老师”, if he/she is a student we can simply say “同学”. For casually met children, it is just enough to say, “小朋友”.

If you meet someone roughly of your mother’s age, you should address that person as “阿姨”, “大妈”. When meeting someone of your father’s age, you could say, “大叔”, “叔叔”, “大伯”. People older than that could be addressed as “老爷爷” for a man and “老奶奶” for a woman, and people who look like elderly intellectuals can be called “老先生”. A formal address for a male is “先生”, for a female “女士”. According to Chinese tradition, older people should be given a special respect. Using an appropriate form of address for people older than us is a way to show them respect. At present, however, many people tend to prefer forms of address traditionally reserved for persons younger than themselves. And so if you call a woman of your mother's age as "大姐", she will probably feel quite flattered. Older people address young people with "姑娘" for women and "小伙子" for men.

第13课 借我用一下儿可以吗？

Lesson 13 Can I borrow some-thing from you?

生词 New Words

借	（动）	jiè	borrow
词典	（名）	cídiǎn	dictionary
拿	（动）	ná	take; hold
圆珠笔	（名）	yuánzhūbǐ	ball-pen
坏	（形）	huài	bad; broken
把	（介）	bǎ	(see Notes of this lesson)
画报	（名）	huàbào	pictorial
完	（动）	wán	finish
自行车	（名）	zìxíngchē	bicycle
骑	（动）	qí	ride
还	（动）	huán	return
得	（助动）	děi	need; must
花	（动）	huā	spend
光	（副）	guāng	empty
先	（副）	xiān	first
回来		huílai	come back
公用电话		gōngyòng diànhuà	public telephone
橡皮	（名）	xiàngpí	eraser
哎	（叹）	āi	an interjection
带	（动）	dài	bring
作业	（名）	zuòyè	schoolwork
课本	（名）	kèběn	textbook
马大哈	（名）	mǎdàhā	scatterbrain (name for careless and forgetful person)
要是	（连）	yàoshì	if
继续	（动）	jìxù	continue

预习	(动)	yùxí	preview
放	(动)	fàng	put
着急	(动)	zháojí	feel anxious
好好儿	(副)	hǎohāor	well
马上	(副)	mǎshàng	at once
跑	(动)	pǎo	run
慢	(形)	màn	slow
一会儿	(名)	yíhuìr	for a moment
录音	(名)	lùyīn	recording
巧	(形)	qiǎo	luckily; fortunately
参加	(动)	cānjiā	join; participate in
晚会	(名)	wǎnhuì	evening party
别人	(代)	biérén	other people

基本句
Sentences

有关求借的常用语 / Expressions about "borrow"

1. A：你有词典吗？借我用一下儿好吗？
   B：这不，拿去吧。
2. A：借我圆珠笔用一下儿，可以吗？
   B：可以，给。
3. A：这CD机借我用一下儿行吗？
   B：对不起，我的CD机坏了。
4. A：把画报借我看看，好吗？
   B：你等一下儿，我看完就借给你看。

5. A：这儿有自行车，你骑我的车去吧。
   B：谢谢，用完就还你。
6. A：能不能把CD借我听听？
   B：这是我同屋的，你得问问他。
7. A：钱花光了吧？先从我这儿拿点儿吧。
   B：是啊，先借我五十吧。明天去银行，回来就还你。
8. A：这是您的笔，我用完了，还给您。谢谢您！
   B：不客气。
9. A：可以借用一下儿电话吗？
   B：对不起，我在等一个电话。您去打公用电话吧。

课　文
Texts

会话 1 Dialogue

（在教室。/ In the classroom.）

美真：爱迪，这是你的橡皮吗？

爱迪：是。

美真：借我用一下儿，可以吗？

爱迪：可以。哎，你的汉语词典带来了没有？

美真：在这儿。

爱迪：借我看一下儿，好不好？

美真：你看吧。

会话 2 Dialogue

（在宿舍。/ In the dormitory.）

山口：美真，做什么呢？

美真：做作业呢。你呢？

山口：我想看书。我的课本你用完了吗？

美真：哎呀，用完了。对不起，真对不起！你看我这个马大哈，忘了还你了。

山口：没关系，你要是没用完，就继续用；要是用完了，就还给我。我想预习明天的课文。

美真：哎，我放在哪儿了？怎么没有了？

山口：你别着急，再好好儿找一找。

美真：啊，知道了，我把它放在教室了！你等着，我马上去拿。

山口：你不用跑，慢点儿走就行。我先听一会儿课文录音。

会话 3 Dialogue

（爱迪来到黄飞宿舍楼门口，看见黄飞推车从宿舍楼出来。/ Eddie comes to Huang Fei's dorm, seeing Huang Fei taking his bicycle out of his dorm.）

爱迪：黄飞，能把你的自行车借我用一下吗？

黄飞：哎呀，真不巧，我跟同学约好骑车去参加生日晚会。这怎么办？

爱迪：没关系，没关系，我去借别人的。

黄飞：真对不起，下次要用车先给我打个电话。

爱迪：好，你快走吧。

黄飞：你能借到吗？

爱迪：能，我有好多朋友呢。

注释 Notes

1. 借我圆珠笔用一下儿

这是双宾语句式。动词“借”有两个宾语“我”和“圆珠笔”，间接宾语“我”在前，直接宾语“圆珠笔”在后。

This is a sentence with two objects. The verb “借” takes two objects, “我” and “圆珠笔”. The indirect object “我” is in the front, the second is the direct object “圆珠笔”.

即“借 + 间接宾语（人）+ 直接宾语（物）”。同类动词还有“给”“找”“教”“叫”等。（参见第七课注释3）

That is “借 + Indirect Object（People）+ Direct object（Something）”. The verbs can take double objects include “给” “找” “教” “叫”, etc. R.e. Note 3 in Lesson 7

注意：汉语的“借”没有方向，口语中，借进、借出都用“借”字。应参考上下文准确理解它的意思。如“我没带笔，借你的笔用用”和“我有笔，借你用吧”，前者是借进，后者是借出。借出常用“借给”，即，借出时换用“借给”意思不变，借进时不能换用“借给”。如：

Pay attention: “borrow” and “lend” are both “借”. The actual meaning of “借” depend on the context, e.g. “我没带笔，借你笔用用” and “我有笔，借你用吧”, the first “借” is to borrow, the latter one is to lend. When expressing to borrow, “借给” is also used, e.g.

（1）借我录音机用一下儿，可以吗？

（2）我借你的书看一下儿，可以吗？

（3）你没带笔吗？我借给你一支笔。

（4）李老师教我们汉语。

（5）山口不喜欢冬冬叫她阿姨，喜欢叫她姐姐。

（6）爱迪问他一个汉字，他不会。

（7）我给他五十元钱，他找我十二块。

练习 / Practice

按正确语序说出下面句子 / Sentence construction.

（1）老师　打拳　学生　教

（2）还　他　我　钱

（3）叫　我们　老先生　他

向同学借用下面的东西 / Borrow the following things from your classmates.

书　词典　笔　练习本　CD　CD机　自行车　橡皮　圆珠笔

2. 这CD机借我用一下儿行吗？

为了强调宾语，把宾语“这CD机”放在句首。意思跟“借我用一下儿这CD机行吗”一样，只是这样宾语更突出。如：

In order to emphasize, the object is put at the beginning of the sentence. The meaning of the sentence is not changed, the same as “借我用一下儿这CD机行吗”, e.g.

（1）作业你做了吗？

（2）钱我已经换了，你放心吧。

（3）这录音机你用完了借我用吧。

练习 / Practice

把下面句子改成宾语提前的形式 / Put forward the following objects.

（1）我想用一下儿你的词典。

（2）你看完书就放在桌上吧。

（3）我不用自行车了，你用吧。

（4）吃了饭，喝了酒，我们走吧。

3. 把画报再借我看看

意思是“再借我看看画报”。有介词“把”的句子叫“把”字句。

The meaning of the sentence is “再借我看看画报”. A sentence with a preposition “把” is called “把” -sentence.

“把”字句的语序是“主＋把＋宾＋动＋宾/其他”。如：

The order of “把” -sentence is “Subject + 把 + Object + Verb + Object/Other”, e.g.

（1）你把自行车借我用一下儿。

（2）他把课本忘在教室了。

（3）美珍把课文看了三遍。

（4）黄飞把自行车骑回来了。

注意："把"字句动词谓语一般后面有其他的词语，或者是动词的重叠形式。如：

Pay attention: there must be some other elements following the verb, or a reduplicated verb, e.g.

*把书给我拿　　　　*我把苹果吃

把书给我拿来　　　　我把苹果吃了

如果有助动词和否定副词，要放在"把"的前面。如：

Optative verbs and negative adverbs should be placed before "把", e.g.

（1）黄飞，能把你的自行车借我用一下儿吗？

（2）他没把书还给我。

（3）你不要把课本忘了。

（4）我不能把CD借给你，那是我同屋的。

注意："把"字句的谓语动词是及物动词，"把"的宾语在意义上要受谓语动词的支配或影响。"把"的宾语一般是有定的。如：

Pay attention: The main verb of "把"-sentence must be a transitive verb. The object of "把" must be governed or influenced by the verb, and must be definite, e.g.

（1）*我把中国来了。

（2）*我把生日过在中国。

（3）*我把他看见了。

（4）*我把有的书忘在教室了。

练习 / Practice

把下面的词语组成"把"字句 / Make "把" -sentences with the following words.

（1）黄飞　没有　借给　爱迪　自行车　把

（2）美珍　看完　了　画报　把

（3）我　买　来　了　啤酒　把

（4）我　做　作业　把　完　了

（5）你们　都　喝　酒　了　吧　把

4. 做什么呢

“动 + 呢”表示动作现在正在进行或某一时间正在进行。语气助词“呢”常常和表示正在进行动作的副词“在”配合使用，即“在 + 动 + 呢”。也可以用“在 + 动”的形式。如：

“Verb + 呢” signifies an act in progress with a specific time. The modal partical “呢” is often used simultaneously with the adverb “在” which emphasizes the in-progress of an act, that is “在 + Verb” is also used, e.g.

（1）美真在做什么呢？

（2）美真在看画报呢。

（3）美真在看画报，山口做什么呢？

（4）山口在做作业吗？

（5）美真去锻炼身体，看见老先生在打拳呢。

练习 / Practice

根据实际情况回答 / Answer questions according to the actual conditions.

（1）今天八点半，你们在做什么呢？

（2）老师在做什么呢？

（3）现在你同桌在做什么？

（4）你在做什么呢？

5. 要是没看完，就继续看

“要是……就……”表示假设条件关系。“要是”提出假设的条件，“就”指出这样条件下的结果。注意：“要是”是连词，用在主语前后都合乎语法。“就”是副词，要用在主语后面，不能用在主语前面。如：

“要是……就……” links a conditional sentence. “要是” introduces the condition; what follows “就” is the result this condition brings about. Pay attention: “要是” is a conjunction, it can be placed before or after the subject. “就” is an adverb and it can be placed only after the subject, e.g.

（1）要是你用自行车，我就不用了。

（2）我要是看完了，就还你。

（3）你要是渴了，就喝吧。

（4）他要是现在不来，就不能来了。

（5）*要是你去，就我不去。

练习 / Practice

完成句子 / Complete the sentences

（1）要是爱迪没有朋友，＿＿＿＿＿＿＿＿＿＿＿＿。

（2）要是美真不去看电影，＿＿＿＿＿＿＿＿＿＿＿＿。

（3）＿＿＿＿＿＿＿＿＿＿＿＿，我就不去了。

（4）＿＿＿＿＿＿＿＿＿＿＿＿，山口就不能预习课文。

综合练习

Comprehensive Exercises

一、根据课文内容回答问题 / Answer the questions according to the texts.

1. 美真带没带橡皮？
2. 爱迪带没带词典？
3. 美真向爱迪借什么？
4. 美真借给爱迪什么？
5. 山口想看书的时候，美真在做什么呢？
6. 美真找到课本了吗？
7. 美真想把课本借给山口，对吗？
8. 爱迪想做什么？
9. 黄飞用不用自行车？
10. 黄飞把自行车借给爱迪了吗？

二、复述练习 / Repeat drill.

1. 熟读下面一段话。/ Read this paragraph.

美真没带橡皮，她向爱迪借橡皮，爱迪借给了美真橡皮。爱迪没带汉语辞典，他向美真借词典。美真借给了爱迪词典。

（1）假设你是美真，说说这段话。/ Suppose you are Meizhen, repeat this paragraph.

（2）假设你是爱迪，说说这段话。/ Suppose you are Eddie, repeat this paragraph.

2. 假设你是山口，说说会话2的故事。/ Suppose you are Yamaguchi, tell the story of Dialogue 2.

3. 假设你是美真，说说会话2的故事。/ Suppose you are Meizhen, tell the story of Dialogue 2.

4. 假设你是黄飞，说说会话3的故事。/ Suppose you are Huang Fei, tell the story of Dialogue 3.

5. 假设你是爱迪，说说会话3的故事。/ Suppose you are Eddie, tell the story of Dialogue 3.

三、看图，参考括号中的词语，练习对话 / Make dialogues according to the following pictures and words.

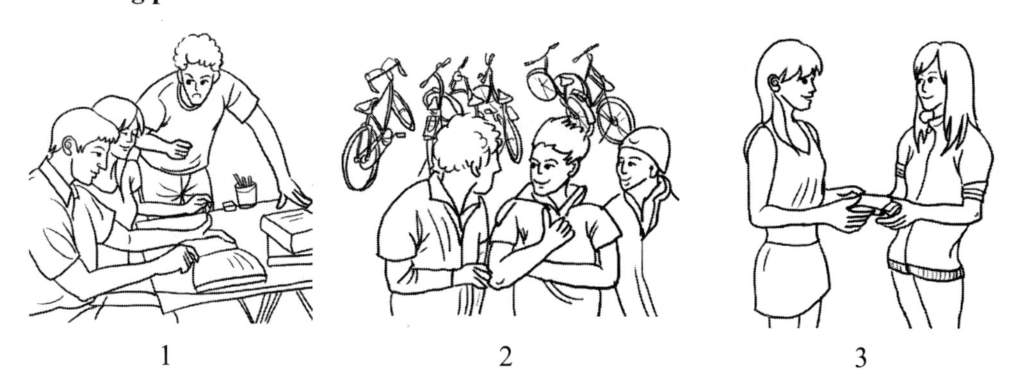

1　　2　　3

（请问　借　一下儿　可以　还　用完　好　谢谢　不客气）

四、选择填空 / **Choose the right words to fill in the blanks.**

先　光　得　继续　好好儿　别人　着急　巧　一会儿　马上

1. 请你快一点儿，车（　　）就走了。
2. 听说他下学期不回国，（　　）在这里学习汉语。
3. 你再（　　）看看，这个字你写对了吗？
4. 我今天不看这本书，你不用（　　），看完再还我就行。
5. 你找他？太（　　）了，他正好回来了。
6. 对不起，我也不知道，你再问问（　　）吧。
7. 他很累，看了（　　）书就睡觉了。
8. 你没带书？（　　）把我的书借你用吧，我现在不用。
9. 哎呀，我把他的名字忘了，（　　）好好儿想想才行。
10. 对不起，您来晚了，我已经把饺子吃（　　）了。

五、听老师问问题，根据实际情况回答 / **Answer your teacher's questions according to the actual conditions.**

1. 你借同桌的词典时，说什么？
2. 你还给同桌词典时，说什么？同桌说什么？
3. 你有自行车吗？
4. 有人借你的自行车吗？
5. 你的课本找不到了吗？
6. 你有几支笔？借我用一下儿行吗？
7. 马大哈是什么意思？
8. 谁是马大哈？

六、大家说 / **Speak.**

1. 你说借钱好不好？为什么？
2. 别人借你的词典时，你高兴不高兴？为什么？

Library

Foreign students in China frequently visit libraries. However, before you can use the library, you must obtain a library card. The procedure is simple. You just need two photos and a safety deposit in a fixed amount. It takes about two days to obtain the card. The card entitles you to check out only a limited number of books. Also, you should pay close attention to the return date, otherwise you will be fined. The journals, magazines, and newspapers cannot be checked out. You can only read them in the reading room. If you are browsing through the library catalogue, you need to write down the book's catalogue number on the check-out slip and hand it over to the librarian who will get the book for you from the book room. There are some book rooms you can enter and browse the collection by yourself. Those foreign students who are already leaving the campus should return all the materials as well as the library card. At this time, you will be also able to collect your safety deposit. For the foreign students, library is not only a place where they can borrow books or study, but more importantly it is also a place where they can socialize with the Chinese students.

第14课 那里的天气怎么样？

Lesson 14 What is the weather there like?

生词 New Words

那里	（代）	nàli	there
天气	（名）	tiānqì	weather
怎么样	（代）	zěnmeyàng	how
冷	（形）	lěng	cold
热	（形）	rè	hot
预报	（动）	yùbào	forecast
还是	（副）	háishì	still
可能	（助动）	kěnéng	can; possible
下	（动）	xià	(rain; snow) fall
雪	（名）	xuě	snow
风	（名）	fēng	wind
夏天	（名）	xiàtiān	summer
可不是		kěbushì	true; truly
一直	（副）	yìzhí	all along
出汗		chū hàn	sweat
伞	（名）	sǎn	umbrella
雨	（名）	yǔ	rain
季（节）	（名）	jì（jié）	season
最	（副）	zuì	most
春天	（名）	chūntiān	spring
觉得	（动）	juéde	feel; think
不错	（形）	búcuò	not bad; quite good
挺	（副）	tǐng	quite
凉快	（形）	liángkuài	cool
常	（副）	cháng	usually
这里	（代）	zhèli	here
冬天	（名）	dōngtiān	winter

刮	（动）	guā	(wind) blow
秋天	（名）	qiūtiān	autumn
舒服	（形）	shūfu	comfortable
非常	（副）	fēicháng	very
场	（量）	chǎng	a quantifier (for snow; rain etc.)
家乡	（名）	jiāxiāng	hometown
播	（动）	bō	broadcast
晴	（形）	qíng	fine
转	（动）	zhuǎn	transfer; turn
阴	（形）	yīn	cloudy
气温	（名）	qìwēn	temperature
度	（量）	dù	degree
低	（形）	dī	low
玩儿	（动）	wánr	play

基本句
Sentences

有关天气的常用语 / Expressions about weather

1. A：你那里天气怎么样？
   B：不太冷也不太热。
2. A：你看天气预报了吗？
   B：看了，明天还是很热。
3. A：今天太冷了，可能要下雪。
   B：是啊，风太大了。
4. A：今年夏天太热了。
   B：可不是，我热得一直出汗。

5. A：你带伞了吗？天气预报说今天有雨。
   B：没关系，我早去早回。
6. A：一年四季，你最喜欢哪个季节？
   B：我最喜欢春天。

课文 Texts

会话 1 Dialogue

（爱迪和黄飞在聊天。/ Eddie and Huang Fei are chatting.）

黄飞：你觉得这儿夏天的天气怎么样？

爱迪：不错，有点儿小风，挺凉快的。这里不常下雨，对不对？

黄飞：对，这里雨不多。

爱迪：这里的冬天常常下雪吗？

黄飞：冬天也不常下雪。

爱迪：刮风吗？

黄飞：常刮风。

爱迪：春天和秋天怎么样？

黄飞：春天和秋天不冷不热，很舒服。

会话 2 Dialogue

（爱迪和妈妈在通电话。/ Eddie and his mother are chatting on the phone.）

爱迪：妈妈，您和爸爸的身体怎么样？

妈妈：我们都很好。你呢？

爱迪：我也很好。

妈妈：那里的天气怎么样？

爱迪：这里夏天不太热。昨天下了一场大雨，今天非常凉快。咱家乡怎么样？

妈妈：今年夏天一直下雨，一点儿也不热。

会话 3 Dialogue

（美真和山口在看电视。/ Meizhen and Yamaguchi are watching TV.）

美真：明天星期六了，看看天气预报吧。

山口：天气预报已经播完了。

美真：明天的天气怎么样？

山口：晴转阴，风不大，下午有小雨。最高气温28度，最低气温24度。

美真：天气不错，我们出去玩儿吧。

山口：好吧，出去的时候带上伞。

注释 Notes

1. 那里天气怎么样?

"怎么样"，疑问代词作谓语，用来问状况、看法、意见等。如：

"怎么样" is an interrogative pronoun. In this sentence, it is used as a predicate, asking about state, opinion and suggestion, e.g.

（1）爸爸妈妈的身体怎么样？

（2）那里的天气怎么样？

（3）你觉得这个电影怎么样？

（4）明天我们出去玩儿怎么样？

练习 / Practice

完成对话 / Complete the dialogues.

（1）A：老师，我的作业怎么样？

B：________________。

（2）A：________________?

B：明天不太冷，阴天，有小雪。

（3）A：你认识篮球运动员姚明吗？你觉得他的技术怎么样？

B：________________。

（4）A：________________?

B：好，我们明天就去。

2. 可不是

表示同意对方的看法或肯定对方的估计。也说“可不”。如：

“可不是” shows agreement with an opinion or affirmation of other's estimate. “可不” is also used, e.g.

（1）A：这个电影太好了！

B：可不是，我也很喜欢这个电影。

（2）A：今天太冷了。

B：可不是，雪越下越大了。

（3）A：这里冬天风很大。

B：可不是，一直刮。

（4）A：哎呀，明天又星期六了吧？

B：可不是，时间真快。

练习 / Practice

完成对话 / Complete the dialogues.

（1）A：这个运动员真棒！

B：________________。

（2）A：________________。

B：可不是，昨天睡得太晚了，今天早点儿睡。

（3）A：爱迪还没回来吧？

B：________________。

（4）A：这个老先生身体真好。

B：________________。

3. 我热得一直出汗。

“一直出汗”作补语。表示热的程度。形式：“动/形 + 得 + 形/动/小句”，补语说明情况，或说明程度，或说明结果。如：

“一直出汗” is used as a complement, showing the degree of heat. The sentence structure is “Verb/Adjective + 得 + Adjective/Verb/Small Sentence”. The complement explains condition, state, degree, or result, e.g.

（1）那个人走得太快了！

（2）今天起得太晚了，上课迟到了。

（3）你说得太好了。

（4）她饿得不能走路了。

（5）他女儿渴得一口气喝了一大瓶水。

练习 / Practice

把“得”字加在合适的位置，组成“得”字补语句 / Put “得” in the right position to make “得”-complement sentences.

（1）他　忙　忘了　吃饭

（2）他　累　不能　走路了

（3）我　热　一直　出汗

（4）他的汉字　写　很好

（5）她们　昨天　睡　很晚

4. 一点儿也不热

“一……也不……”表示彻底的否定。注意：“也”后面要有否定词，这种句式只能用于否定，不能用于肯定。如：

“一……也不……” designates total negation. Pay attention: there must be a negative adverb after “也”. This sentence type is only used for negation, not for affirmation, e.g.

（1）*一点儿也热。

（2）我不渴，一点儿也不想喝。

（3）他来到中国后，一个电话也没打。

（4）早晨起来晚了，一点儿饭也没吃就来上课了。

（5）我一个字也不会写。

练习 / Practice

用“一……也不……”完成对话 / Complete the dialogues with “一……也不……”

（1）A：你每天都上课吗？

B：对，________________。

（2）A：在这里你有朋友吗？

B：没有，________________。

（3）A：今天天气怎么样？

B：________________。

（4）A：今天的作业你做完了吗？

B：________________。

综合练习

Comprehensive Exercises

一、根据课文回答问题 / Answer questions according to the texts.

1. 这里夏天常常下雨吗？
2. 这里的冬天常常下雪吗？
3. 这里的春天和秋天怎么样？
4. 爱迪的爸爸妈妈身体怎么样？
5. 爱迪妈妈说她们家乡天气很热，对不对？
6. 美真和山口在做什么？
7. 美真看到天气预报了吗？
8. 星期六的天气怎么样？
9. 她们明天要做什么？
10. 她们为什么要带伞？

二、看图，说明图里的季节和天气 / **Tell the weather and season in the following pictures.**

三、选择填空 / **Choose the right words to fill in the blanks.**

可能　怎么样　常　非常　舒服　觉得　不错　一直　下　上

1. 那个运动员（　　）高。
2. 她（　　）这个电影很有意思。
3. 这几天一直（　　）雨，天气一点儿也不热。
4. 他今天觉得不（　　），不来上课了。
5. 他的汉语说得（　　）。
6. 他上课的时候不听课，（　　）说话。
7. 你觉得姚明篮球打得（　　）？
8. 上课的时候，别忘了带（　　）词典。
9. 他晚上睡得很晚，上课（　　）迟到。
10. 今天很冷，晚上（　　）会下雪。

四、叙述练习 / **Depiction drill.**

1. 假设你是爱迪，说说这里的天气。/ Suppose you are Eddie, tell the weather of this place.
2. 假设你是爱迪的妈妈，说一说会话2的内容。/ Suppose you are Eddie's mother, tell the story of Dialogue 2.
3. 假设你是美真，说说会话3的内容。/ Suppose you are Meizhen, tell the story of Dialogue 3.

4. 假设你是山口，说说会话3的内容。/ Suppose you are Yamaguchi, tell the story of Dialogue 3.

五、听老师问问题，根据实际情况回答 / Answer your teacher's questions according to the actual conditions.

1. 你觉得今天的天气怎么样？
2. 你看不看天气预报？
3. 这里常常下雨（下雪）吗？
4. 你们家乡有几个季节？
5. 你喜欢哪个季节？
6. 你喜欢什么样的天气？
7. 星期六你常出去玩儿吗？
8. 不下雨的时候你带不带伞？
9. 你知道谁每天晚上看天气预报？
10. 请你说说今天的天气。

六、大家说 / Speak.

1. 说一说你家乡的四季。
2. 说一说这里的四季。

中国生活常识介绍

Climate

China is located in East Asia and belongs to the continental climate characterized by monsoons.China has a vast land and a variety of climates. Most regions have distinct four seasons. For example, while the winter in Beijing is snowy and cold, in the south the flowers are still in the full blossom and verdant fields lush with grass. For that reason, many people travel in winter. First, they often go to Harbin to enjoy the famous “ice lanterns” or for skiing. Next, they go to Hainan to sip the refreshing coconut juice and enjoy a swim in the warm, tropical ocean. In most regions in China, in winter people wear leather coats or down-filled coats while in summer they prefer clothes made of muslin. Some people would wave a fan in order to relieve heat. The air conditioners in summer can be used to lower the temperature while in winter they can serve as heaters. In north-east China, it is necessary to use the heating equipment so foreign students coming to China should know where they are actually going to live and make appropriate preparations.

第15课 你怎么去？

Lesson 15 How can you get there?

生词 New Words

平时	（名）	píngshí	usual time
离	（介）	lí	away from
近	（形）	jìn	near
步行	（动）	bùxíng	walk
火车	（名）	huǒchē	train
乘	（动）	chéng	take
飞机	（名）	fēijī	plane
机场	（名）	jīchǎng	airport
远	（形）	yuǎn	far
公交车	（名）	gōngjiāochē	public bus
火车站	（名）	huǒchēzhàn	train station
公里	（量）	gōnglǐ	kilometer
百货商店		bǎihuò shāngdiàn	department store
路	（名）	lù	route
终点	（名）	zhōngdiǎn	terminal
动物园	（名）	dòngwùyuán	zoo
地铁	（名）	dìtiě	underground, subway
电车	（名）	diànchē	electric car
超市	（名）	chāoshì	supermarket
车票	（名）	chēpiào	ticket
无人售票		wú rén shòu piào	self-service ticketing
乘客	（名）	chéngkè	passenger
自己	（代）	zìjǐ	oneself
箱	（名）	xiāng	case; box; trunk
一定	（副）	yídìng	surely
辛苦	（形）	xīnkǔ	hard

出租车	（名）	chūzūchē	taxi
因为……所以……	（连）	yīnwèi... suǒyǐ...	because...; so...
车费	（名）	chēfèi	fare
司机	（名）	sījī	driver
行李	（名）	xíngli	luggage
师范大学		shīfàn dàxué	normal university
当	（动）	dāng	be; serve as
翻译	（名）	fānyì	translator; interpreter
停	（动）	tíng	stop
发票	（名）	fāpiào	invoice
记住	（动）	jìzhù	remember
汽车站	（名）	qìchēzhàn	bus stop
挤	（形、动）	jǐ	crowd
堵车		dǔ chē	traffic jam
方便	（形）	fāngbiàn	convenient
大熊猫	（名）	dàxióngmāo	panda

基本句
Sentences

有关交通的常用语 / Expressions about traffic

1. A：你平时怎么去学校？
   B：我的宿舍离学校很近，我步行去。
2. A：你怎么去？坐火车去还是乘飞机去？
   B：我想乘飞机去。
3. A：机场离这儿多远？
   B：不太远，坐公交车半个小时就到了。

4. A：从这里到火车站有多远？
   B：20公里。
5. A：去动物园坐几路车？
   B：坐701，终点就是。
6. A：我想去动物园，下了地铁后转什么车？
   B：转乘4路电车。
7. A：请问您去哪儿？
   B：我去超市。
8. A：公交车车票多少钱？
   B：一元。无人售票，乘客自己把钱放在钱箱里。

课　文
Texts

会话 1 Dialogue

（美真和朋友在机场。/ Meizhen and her friend are in the airport.）

美　真：坐了这么长时间飞机，一定辛苦了！
朋　友：没关系！我们怎么去学校？
美　真：坐出租车。你看——
朋　友：啊，怎么这么多啊！
美　真：因为从这儿去学校没有公交车，所以这儿的出租车多。
朋　友：车费贵吗？
美　真：不贵，一公里两块。哎，出租车！（司机停车，帮美真和朋友拿行李。/ The taxi driver stops and helps to lift the luggage.）
司　机：这行李太大了，把它放在后备箱里吧。
美　真：谢谢！

司　机：不客气。请问去哪儿?

美　真：师范大学。

朋　友：你们说得真快，我都没听懂。

美　真：没关系，我给你当翻译。司机问去哪儿，我说去师范大学。

（到了师范大学北门。/ To the north gate of Normal University.）

司　机：把车停在这儿可以吗?

美　真：可以。多少钱?

司　机：15块。……给您发票。

会话 2 Dialogue

爱　迪：哎，山口，去动物园坐几路车?

山　口：昨天你不是问了吗?

爱　迪：对不起，我没记住。这次我把它写在本子上。

山　口：从学校汽车站坐715，到火车站换乘6路，终点就是。

爱　迪：听说这儿的公交车不但挤，而且常常堵车。

山　口：是啊。去那儿骑自行车方便，因为可以走近路。

爱　迪：我想周末去看大熊猫。你去不去?

山　口：当然去！我最喜欢看大熊猫了！咱们怎么去?

爱　迪：我不想挤车，咱们骑自行车去吧。

注释 Notes

1. 因为这儿没有公交车，所以出租车很多。

“因为……所以……”表示原因和结果。有时，“因为”可以单用在后分句，如下文的“去那儿骑自行车更方便，因为可以走近路”。这句话也可以说“因为骑自行车可以走近路，所以方便”。如：

“因为……所以……” explains the cause and the effect of something. Sometimes, “因为” can be used separately in the latter clause, e.g. “去那儿骑自行车更方便，因为可以

走近路。" This sentence could also be "因为骑自行车可以走近路，所以方便", e.g.

（1）因为昨天睡得太晚了，所以今天上课迟到了。

（2）因为妈妈来电话了，所以他非常高兴。

（3）明天山口要去动物园，因为她喜欢看大熊猫。

（4）今天很凉快，因为昨天下了一场大雨。

练习 / Practice

完成句子 / Complete the sentences.

（1）他没吃饭，因为________________。

（2）因为他刚学汉语，所以________________。

（3）因为车上人很多，所以________________。

（4）那位老人的身体很好，因为________________。

2. 乘客自己把钱放在钱箱里

"把 + 名 + 动 + 在/到 + 方位/处所" 表示把某事物移动到动词后的处所/方位。注意：表达这种意思必须用把字句。动词后面如果处所和趋向动词 "来" "去" 同时存在，"来" "去" 要放在处所的后面。如：

"把 + Noun + Verb + Location /Place" denotes moving something to someplace. Pay attention: expressing this meaning must use 把-sentence. If there are both Location Word and Direction Verb "来" "去", "来" "去" must be placed after the Location Word, e.g.

*拿上去车　　　*带来宿舍

　　　　　　　带到宿舍来

（1）把行李拿到车上去。

（2）把它放在后箱里吧。

（3）把车停在这儿可以吗？

（4）这次我把它写在本子上。

（5）还得麻烦你帮我们把行李拿下来。

练习 / Practice

组词成句 / Sentence Construction.

（1）我　放　橡皮　上　在　桌子　把

（2）他　放　钱　在　钱包　里　把

（3）黄飞　骑　自行车　把　到　来　宿舍

（4）司机　停　车　把　在　门口

（5）美真　带　照片　去　回家

3. 昨天你不是问了吗？

“不（是）……吗”是反问句式，常常表示说话人对已经知道的情况和所见所闻的情况不符，进一步确认或提醒对方注意。意思是这句话去掉“不（是）……吗”后剩下的内容。“昨天你不是问了吗”的意思是“昨天你已经问了”，问话的情景是，现在你又问，这是不应该的。如：

“不（是）……吗” is a rhetorical question. When the speaker finds what he or she sees is different from what he or she already knew, the speaker often uses this sentence pattern to affirm. The meaning of the sentence is the content without “不（是）……吗”, e.g. “昨天你不是问了吗” means “昨天你已经问了”. The speaker emphasizes that you should not ask, e.g.

（1）快吃吧，你不是饿了吗？（<我知道>你饿了，可是现在没吃）

（2）你别去了，你昨天不是去了吗？（<我知道>你昨天去了，今天不要再去了）

（3）那不是黄飞吗？他不是回家了吗？（<注意>那是黄飞，<我听说>他已经回家了，不在这里）

（4）你不是会打球吗？快去打吧。（<我知道>你会打球，可是没去打）

练习 / Practice

体会下面反问句的含义，想一想说话的情景。如：

Think about the meanings and contexts of the following sentences, e.g.

你不是不喜欢吃饺子吗？（我知道你不喜欢吃饺子，可是看见你在吃饺子）

（1）你不是去火车站了吗？

（2）你不是说没有出租车吗？

（3）今天不是没有作业吗？

（4）他昨天不是没上课吗？

4. 听说公交车上不但挤，而且常常堵车。

连词“不但……而且……”表示递进关系。“公交车上挤”已经很不方便，进一步说明不方便。也可以不用“不但”，只说“……而且……”。注意：前后两个分句如果是一个主语，“不但”放在主语的后面，如例句（1）、（2）。如果是两个主语，“不但”放在主语的前面，如例（4）。如：

“不但……而且……” is used to indicate a further development in meaning in the second clause from what is stated in the first one. “公交车上挤” is already not convenient, “常常堵车” further explains the inconvenience. “……而且……” can be used separately. Pay attention: if the two clauses share one subject, “不但” is used after the subject of the first clause, like Example 1 and Example 2. If the two clauses have different subjects. “不但” is used before the subject of the first clause, like Example 4. e.g.

（1）美真不但喜欢学习，而且喜欢运动。

（2）他妹妹不但聪明，而且漂亮。

（3）这里的出租车很多，而且车费便宜。

（4）不但他的汉语好，而且他弟弟的汉语也很好。

练习 / Practice

完成句子 / Complete the sentences.

（1）爱迪不但有中国朋友，____________________。

（2）不但他喜欢运动，____________________。

（3）____________________，而且跟他是好朋友。

（4）____________________，而且还会说英语。

综合练习

Comprehensive Exercises

一、根据课文回答问题 / Answer the questions according to the texts.

1. 美真和朋友怎么从机场到学校？

2. 这里出租车为什么多？
3. 出租车多少钱一公里？
4. 朋友的行李大不大？
5. 司机把他们的行李放在哪儿了？
6. 司机把车停在哪儿？
7. 出租车有发票吗？
8. 爱迪想去哪儿？
9. 山口昨天告诉爱迪去那儿怎么坐车了吗？
10. 那条路乘公交车方便吗？

二、叙述练习 / Depiction drill.

1. 假设你是美真，说说课文的故事。/ Suppose you are Meizhen, tell the story of the texts.
2. 假设你是美真的朋友，说说课文的故事。/ Suppose you are Meizhen's friend, tell the story of the texts.
3. 假设你是爱迪，说说课文的故事。/ Suppose you are Eddie, tell the story of the texts.
4. 假设你是山口，说说课文的故事。/ Suppose you are Yamaguchi, tell the story of the texts.

三、看图，参考下面的词语编写对话 / Make dialogues according to the following pictures and words.

1. 乘公交车：车费　电车　费　贵　无人售票　挤　钱箱　零钱　乘客　把

2. 出租车：司机　行李　大　把　后箱　车　公里　多　堵车　停车　发票　谢谢

四、选择填空 / Choose the right words to fill in the blanks.

平时　离　辛苦　挤　一定　自己　方便　所以　而且　把

1. 因为她今天没事，（　　）想去动物园看大熊猫。
2. 爸爸妈妈每天工作，很（　　）。
3. 你（　　）自行车放在哪儿了？
4. 他（　　）早上6点来锻炼身体，今天怎么没来？
5. 这儿（　　）火车站有10公里。
6. 学校附近有银行，换钱很（　　）。
7. 他没坐公交车，（　　）是坐地铁去的。
8. 这里的冬天不太冷，（　　）没有风，我觉得很舒服。
9. 102路公交车人很多，很（　　），是吗？
10. 不用你告诉我，我（　　）知道怎么走。

五、听老师问，根据实际情况回答 / Answer your teacher's questions according to the actual conditions.

1. 你们学校离机场多远？
2. 从你们学校到火车站，有没有公交车？
3. 这里的公交车挤不挤？
4. 这里常常堵车吗？

5. 你平时坐公交车吗?
6. 你坐的公交车是无人售票的吗?
7. 你常坐出租车吗?
8. 司机给你发票吗?
9. 你觉得出租车费贵不贵?
10. 你喜欢大熊猫吗?

六、大家说 / Speak.

1. 说一说平时你出去常坐什么车，为什么。
2. 说说你乘公交车的一次经过。
3. 说说你乘出租车的一次经过。

中国生活常识介绍

City Transportation

The public transportation in Chinese cities is quite convenient.The most important means of the public transport are regular buses, tramways, trolley buses, and the subway trains. The regular buses and electric buses (tramway and trolley bus) have special numbers indicating their rout, e.g. 101 trolley bus, 708 regular bus, 202 tramway. For these public transport vehicles tickets are not sold. After you get on, you simply need to deposit a required amount in a special box. For passengers' convenience, there are separate doors to get on and off the bus, but still passenger traffic congestion problems are quite frequent. If you want to use the subway, you need to get to the underground station by stairs. However, there is only a limited number of routs, which may cause some inconvenience. One advantage of the subway certainly is the lack of traffic congestion, though. People often use the subway to get to a bus station nearest to their destination and just take a bus. This of course can save a lot of time. Big cities have a huge number of taxi cabs. It is easy to get on but the price is

of course higher than with the buses. Usually, for every kilometer you have to pay about 3 yuan. If you get on the taxi cab, don't forget to ask for the receipt. This is just in case you would leave something in the cab. Later, you can use the receipt to recover the lost property. Small towns usually have three-wheeled cabs, some of them still being classical rickshaw.

第 16 课

你是不是生病了？

Lesson 16 Are you ill?

生词 New Words

生病		shēng bìng	be sick
感冒	（动）	gǎnmào	catch a cold
头	（名）	tóu	head
疼	（形）	téng	ache
发烧		fā shāo	have a fever
咳嗽	（动）	késou	cough
嗓子	（名）	sǎngzi	throat; voice
牙	（名）	yá	tooth
厉害	（形）	lìhai	intense; severe; terrible
拉肚子		lā dùzi	suffer from diarrhoea; have loose bowels
又拉又吐		yòu lā yòu tù	not only have loose bowels but also vomit
肚子	（名）	dùzi	belly; abdomen
死	（动）	sǐ	die
药	（名）	yào	drug; medicine
量	（动）	liáng	measure
体温	（名）	tǐwēn	animal heat
开药		kāi yào	prescribe
打针		dǎ zhēn	inject; injection
挂号		guà hào	register
内科	（名）	nèikē	internal medicine
外科	（名）	wàikē	surgery
住院		zhù yuàn	be hospitalized
从来	（副）	cónglái	always; all along
缺课		quē kè	miss class

请假		qǐng jià	leave
夜里	（名）	yèli	at night
医院	（名）	yīyuàn	hospital
过	（助）	guò	(an aspect partical)
还是	（副）	háishì	still
医生	（名）	yīshēng	doctor
该	（助动）	gāi	should; ought to
起来	（动）	qǐlái	rise up; get up
淋	（动）	lín	drench
休息	（动）	xiūxi	rest
陪	（动）	péi	accompany
一起	（副）	yìqǐ	together
看病		kàn bìng	see a doctor
严重	（形）	yánzhòng	severe
按时	（副）	ànshí	on time
收款处	（名）	shōukuǎnchù	cashier
交	（动）	jiāo	hand over
然后	（连）	ránhòu	then
取药处	（名）	qǔyàochù	dispensary

基本句
Sentences

有关生病的常用语 / Expressions about illness

1. 你怎么了？哪儿不舒服？
2. 我有点儿感冒。
3. 头疼、发烧、咳嗽，嗓子疼。

4. 我的牙疼得厉害。
5. 拉肚子了。
6. 又拉又吐，肚子疼得要死。
7. 吃过药了吗?
8. 来，量一量体温。
9. 开点儿药，打一针吧。
10. 我挂个号。
11. 你挂内科还是外科?
12. 他住院了。

课　文
Texts

会话 1 Dialogue

老　师：美真从来没缺过课，今天怎么没来上课?
山　口：哎呀，对不起，我忘了。她让我向您请假，她病了。
老　师：怎么了? 什么病?
山　口：肚子疼，夜里拉肚子了。
老　师：去医院了吗?
山　口：没去。她自己有药，已经吃过了。
老　师：别吃错了，还是让医生看看吧。

会话 2 Dialogue

美　真：山口，该起来了。
山　口：我头疼得厉害，只想睡觉。

美　真：怎么了？是不是病了？
山　口：昨天淋了雨，可能感冒了。
美　真：别去上课了，在宿舍休息吧。
山　口：那麻烦你跟老师说一下儿。
美　真：好。用不用我陪你一起去看病？
山　口：不用，一会儿我自己去。

会话 3 Dialogue

（在医院。/ In the hospital.）
医　生：您哪儿不舒服？
山　口：我头疼、嗓子疼。
医　生：量一量体温吧。（给她体温计 / Give her clinical thermometer）五分钟后给我。

山　口：医生，您看。
医　生：38度。有点儿发烧。咳嗽吗？
山　口：不咳嗽。
医　生：是感冒了，不严重。我给您开点儿药。
山　口：不打针可以吧？
医　生：不打针也可以。回去按时吃药，好好休息。
山　口：在哪儿取药？
医　生：先去楼下收款处交钱，然后去取药处取药。

注释 Notes

1. 美真从来没缺过课。

“过”，时态助词。用在动词后，“动＋过”表示曾经有某种经历、某种情况。如下文的“她自己有药，已经吃过了”。意思是，不用去医院了。否定式“没＋动＋过”表示没有某种经历、某种情况。

"过", an aspect particle, is placed after verbs. "Verb + 过" expresses a certain experience or state in the past. "她自己有药，已经吃过了" means there's no need to see a doctor. The negative form "没 + Verb + 过" means having no experience or state in the past.

"从来"，副词，表示过去一向如此，没有例外。多和否定词连用，构成"从来没……过"或"从来不……"格式。用于肯定时，常和"就""都"呼应。如：

"从来", adverb, expresses something continues all along, without any exception. It always be put together with negative words, that are "从来没……过" and "从来不……". When used in affirmative sentences, it is often put together with "就" and "都", e.g.

（1）这个词已经学过了，你忘了吗？

（2）我没见过李老师，不知道他就是李老师。

（3）美真的朋友没来过中国，所以不知道中国出租车费多少钱一公里。

（4）他每天起床很早，从来没迟到过。

（5）我从来不看这样的电影。

（6）他家从来都是他妈妈买菜，他没买过。

（7）这位老先生从来就喜欢锻炼身体，所以身体这么好。

练习 / Practice

（一）用时态助词"过"完成对话 / Complete the dialogues with the aspect particle "过".

（1）A：咱们一起去动物园吧。
B：我不去，昨天____________________。

（2）A：这个电影有意思吗？
B：我不知道，我____________________。

（3）A：你怎么知道他妈妈年轻？
B：______________________________。

（4）A：你知道去医院怎么走吗？
B：知道，_________________________。

（二）用"从来"改写下面的句子 / Rewrite the following sentences with "从来".

（1）他没吃过饺子，今天是第一次吃。

（2）他没见过下雪。

（3）他身体一直很好，没生过病。

（4）她哥哥一直这么帅。

（5）他们每天都是在一起做作业。

2. 怎么了？

这里的意思是问身体哪儿不舒服。“怎么了”常用来问发生了什么事情。如：

“怎么了” here means what's wrong with your health. It is used to inquire about something that has happened, e.g.

（1）她怎么了？哭什么？

（2）前面怎么了？那个人在做什么？

（3）你昨天怎么了？为什么不理我？

（4）今天怎么了？学生不上课了？

练习 / Practice

想三种情境，用“怎么了”造三个句子。Make three sentences with “怎么了”.

3. 别吃错了，还是让医生看看吧。

副词“还是”表示经过比较，认为应该选择某种事物，用“还是”引出选择的事物。课文这句话的意思是，不应该“自己乱吃药”，应该“让医生看看”。注意这种用法的“还是”跟选择问句中及表示仍然不变的“还是”的区别。如：

The adverb “还是” indicates that a choice is made after comparison of two things. “还是” introduces the choice. In the text, this sentence means you had better “让医生看看” instead of “自己乱吃药”. Pay attention: this “还是” is different from the one in the alternative questions and the one meaning not changed, e.g.

（1）别看电视了，还是早点儿睡觉吧，明天别再迟到了。

（2）还是买包子吧，大家都喜欢吃。

（3）我不知道怎么走，还是你去吧。

（4）还是坐公交车吧，出租车太贵。

练习 / Practice

区别下面句子中的“还是”，看哪一个是表示说话人认为应该选择的，哪个是表示仍然不变的。Distinguish “还是” in the following sentences and tell their meaning.

（1）你去还是他去？

（2）我看还是我去，他太累了。

（3）明天去动物园还是去书店？

（4）还是去书店吧，我想买书。

（5）他昨天没来，今天还是没来。

（6）你怎么还是买馒头啊？

4. 先去楼下收款处交钱，然后去取药处取药。

“先……然后……”表示先后连续的两个动作行为，用这个句式使动作行为的先后顺序更清楚。如：

“先……然后……” denotes two consecutive acts. This sentence pattern makes the order more clear, e.g.

（1）你平时不是先做作业，然后再预习课文吗？今天怎么先预习课文了？

（2）先喝啤酒吃菜，然后再吃饭。

（3）昨天我们先去了商店，然后又去了银行。

（4）你先给他打个电话，然后再去。

练习 / Practice

按先后顺序写出下面的活动，并说明理由 / Give orders of the following actions and explain your reason.

（1）吃饭	洗脸
（2）做作业	睡觉
（3）学拼音	汉字
（4）借自行车	一起去动物园

综合练习

Comprehensive Exercises

一、根据课文内容回答问题 / Answer questions according to the texts.

1. 美真常常不来上课，对吗？
2. 美真怎么跟老师请假？
3. 美真怎么了？为什么没来上课？
4. 她吃没吃药？
5. 老师觉得她最好怎样做？
6. 昨天夜里山口拉肚子了，对吗？
7. 山口为什么病了？
8. 山口哪儿不舒服？
9. 医生说山口的病很严重，对吗？
10. 山口想不想打针？

二、叙述练习 / Depiction drill.

1. 假设你是山口，说一说美真生病的事。/ Suppose you are Yamaguchi, tell the story of Meizhen being sick.
2. 假设你是老师，说说美真没来上课的事。/ Suppose you are the teacher, tell the story of Meizhen not coming to class.
3. 假设你是美真，说说山口生病的事。/ Suppose you are Meizhen, tell the story of Yamaguchi being sick.
4. 假设你是山口，说说你去医院看病的事。/ Suppose you are Yamaguchi, tell the story of seeing a doctor.
5. 假设你是医生，说说山口看病的事。/ Suppose you are the doctor, tell the story of Yamaguchi's sickness.

三、看下图，参考下面的词语说话 / **Give speeches according to the following pictures and words.**

1. 肚子　疼得厉害　又拉又吐　吃药　打针　医院　医生　开药　按时　休息

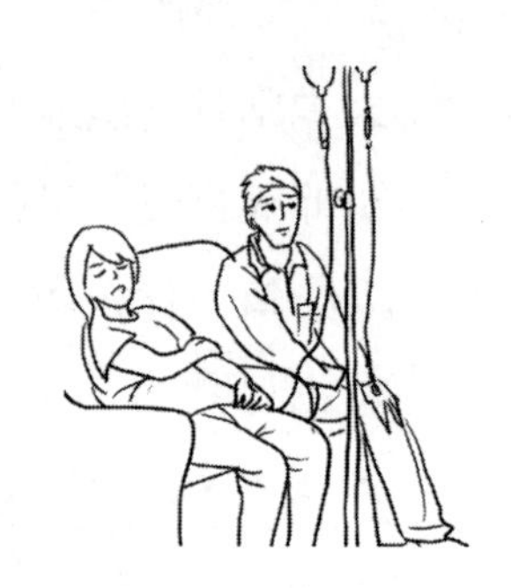

2. 感冒　发烧　咳嗽　嗓子疼　量　体温　淋雨　严重　吃药　医院　医生
打针　休息

四、选择填空 / **Choose the right words to fill in the blanks.**

该　陪　交　按时　厉害　淋　量　请假　住院　看病

1. 我今天不舒服，不能去上课，请你帮我（　　）。
2. 听说他病得很（　　），我们去看看他吧。
3. 医生，我妈妈的病严重吗？要（　　）吗？
4. 已经12点了，（　　）睡觉了。
5. 我们（　　）一下儿，看看女儿有多高了。
6. 老师告诉他，要（　　）上课，不要迟到。
7. 他觉得这样（　　）着雨，很凉快，很舒服。

8. 美真，今天的作业是不是星期一（　　）给老师？

9. 妈妈病了，一个人在家，我要回家（　　）她。

10. 他不在宿舍，他去医院（　　）了。

五、听老师问问题，根据实际情况回答 / Answer your teacher's questions according to the actual conditions.

1. 今天你们班谁缺课了？他病了吗？
2. 你从来不缺课吗？
3. 你生过病吗？
4. 你生过什么病？
5. 你感冒过没有？哪儿不舒服？
6. 你去医院看过病吗？
7. 你陪同学去过医院吗？
8. 医生先开药还是先量体温？
9. 你觉得生病吃药好还是打针好？
10. 你向老师请过假吗？

六、大家说 / Speak.

1. 说一次你生病的经过。
2. 说一次你看病的经过。
3. 说一说在你们国家怎么看病。

中国生活常识介绍

Going to a Doctor

How do you go to see a doctor in China?

1. You must register in the main hall.
2. As you are registering, you have to explain the medical problem you have to see if it requires the assistance of a physician, surgeon,

laryngologist, dermatologist, etc.

3. After you get the registration slip, you need to go to the therapeutics room where your case will be diagnosed and medication prescribed.
4. Then you need to go to "hospital pharmacy", a hospital accounting window, where the treatment fee will be calculated.
5. The next step is to go to the register to pay the fees.
6. Then finally you can go to the hospital pharmacy and get the medicine based on the receipt from the register.

The internal medicine department is primarily concerned with the health problems like common cold, heart disease, respiratory tract infections, digestion problems, insomnia, and various nervous conditions. It also treats medical conditions involving lungs, liver and gallbladder.

The surgical department treats

External wounds, bone fractures, canker sores etc.

The dermatology department treats skin allergies.

The otolaryngology deals with ear, nose and throat infections.

When taking medicine, it is necessary to follow the doctor's instructions and pay attention to an instruction booklet accompanying every medication. The manner of administering medicine and the dosage are crucial for the patient's recovery, so please pay attention whether it says "oral" or "external", what is the single dosage and how many times a day. Also keep in mind that some medications should be taken before meal, other after meal and check under what circumstances they should not ne administered.

第17课

昨天你去健身了？

Lesson 17 Did you go fitness yesterday?

生词 New Words

健身	（动）	jiànshēn	physical exercise
京剧	（名）	jīngjù	Peking opera
足球	（名）	zúqiú	football; soccer
比赛	（动、名）	bǐsài	game
网球	（名）	wǎngqiú	tennis
开	（动）	kāi	open
聚餐	（动）	jùcān	dine together
酒	（名）	jiǔ	alcohol
刚才	（名）	gāngcái	just
逛	（动）	guàng	ramble
公园	（名）	gōngyuán	park
跳舞		tiào wǔ	dance
歌厅	（名）	gētīng	disco
唱歌		chàng gē	sing
乒乓球	（名）	pīngpāngqiú	tabletennis; ping-pong
辅导	（动）	fǔdǎo	tutor
舞会	（名）	wǔhuì	ball
跑步		pǎo bù	run
进来	（动）	jìnlái	come in
可	（副）	kě	can; may
武术	（名）	wǔshù	martial arts
表演	（动）	biǎoyǎn	performance
票	（名）	piào	ticket
遗憾	（动）	yíhàn	pity
游泳		yóu yǒng	swim
应该	（助动）	yīnggāi	should; ought to

体育馆	（名）	tǐyùguǎn	gymnasium
世界	（名）	shìjiè	world
冠军	（名）	guànjūn	champion
虽然……但是……		suīrán... dànshì...	although... but...
刻苦	（形）	kèkǔ	assiduous
那么	（代）	nàme	that
努力	（形）	nǔlì	hardworking
踢	（动）	tī	kick
聊天		liáo tiān	chat
下半夜	（名）	xiàbànyè	the latter half of the night
怪不得	（副）	guàibude	no wonder
原来	（副）	yuánlái	originally; it turns out that
以后	（名）	yǐhòu	after
不好意思		bù hǎoyìsi	feel embarrassed
听你的		tīng nǐ de	depend on you

基本句
Sentences

有关课外活动的常用语 / Expressions about extracurricular activities

1. A：昨天你去健身了？
   B：没去，我去看京剧了。
2. A：明天有足球比赛，你去不去看？
   B：我不喜欢足球，我喜欢网球。
3. 今天星期五，我们班开个聚餐晚会吧。
4. 我昨天晚上喝酒喝多了，今天头太疼了。

5. 刚才你们去哪儿玩儿了？
6. 我们去逛公园了。
7. 她们跳舞去了。
8. 爱迪和美真去歌厅唱歌了。
9. 你会不会打乒乓球？
10. 晚上我有辅导，不能参加舞会。

课 文
Texts

会话 1 Dialogue

爱　迪：美真在吗？
山　口：不在，她去跑步了。进来坐一会儿吧。
爱　迪：你怎么还在看书啊？今天可是星期天啊，玩儿玩儿吧。
山　口：我作业还没做完呢。
爱　迪：昨天你们去哪儿了？我打电话没人接。
山　口：对不起，我们去逛公园了。你找我们有什么事？
爱　迪：你们不是想看武术表演吗？昨天黄飞给了我三张票。
山　口：是吗？太遗憾了！要是我们在家，一定去！

会话 2 Dialogue

美　真：过周末真好！哎，今天晚上去不去打乒乓球？
山　口：我不会打乒乓球，我想去游泳。
美　真：你应该在中国学会打乒乓球。昨天晚上我去体育馆跟朋友打乒乓球，真有意思！

山　口：听说中国人很喜欢打乒乓球。

美　真：是啊，中国有很多乒乓球世界冠军呢。

山　口：你的朋友是运动员吗？

美　真：不是。虽然不是运动员，但是打得很好。

会话 3 Dialogue

美　真：你怎么了？是不是病了？

爱　迪：不是。昨天太忙了，晚上睡得太晚了。现在头疼。

美　真：刻苦学习了？

爱　迪：我哪儿有你那么努力啊！

美　真：那你昨天都干什么了？

爱　迪：上午看电影，下午踢足球、去歌厅唱歌，又跟朋友喝酒聊天，下半夜两点才回来。

美　真：怪不得你头疼，原来玩儿了那么长时间。以后可别这样了！

爱　迪：真不好意思。听你的，以后不这样了。

注释 Notes

1. 喝酒喝多了

汉语的结果补语和宾语同时出现，有三种形式：

There are three patterns when a verb has both a complement of result and an object.

重复动词。如：

Reduplicate the verb, e.g.

（1）他学拼音学会了。

（2）我做作业做完了。

宾语放在动词前。如：

The object is placed before the verb, e.g.

（1）他酒喝多了。

（2）他拼音学会了。

（3）他作业做完了。

宾语放在结果补语后。如：

The object is placed after the complement, e.g.

（1）他喝多了酒。

（2）他做完了作业。

（3）他学会了拼音。

注意，不能把宾语放在补语前边，如不能说：

Pay attention: the object can't be placed before the complement, e.g.

（1）*他喝酒多了。

（2）*他做作业完了。

（3）*他学拼音会了。

练习 / Practice

组词成句 / Sentence construction.

（1）我　完　用　课本　了　用

（2）他　课　听　听　了　懂

（3）美真　通　电话　打　打　了

（4）山口　对　了　填　表　填

2. 我作业还没做完呢。

表示动作行为完成、实现，句尾用"了"，如"我作业做完了"；表示现在没完成、实现，用"没＋动"；现在没完成但以后会完成、实现，用"还＋没＋动＋呢"或"没＋动＋呢""还＋没"。注意：不能说"没＋动＋了"，例如不能说"我作业还没做完了"。如：

To indicate the completion of an act, the aspect partical "了" is placed at the end of a sentence. To indicate the incompletion of an act, "没 + Verb" is used. To indicate the completion of an act occurs in the future, "还 + 没 + Verb + 呢", "没 + Verb + 呢" and "还 + 没" are used. Pay attention: "没 + Verb + 了" is not correct. E.g. * "我作业还没做完了" e.g.

（1）A：你吃饭了吗？

B：还没吃呢，刚做好。

（2）A：我们去看电影吧。

B：还没吃饭呢，你先走吧。

（3）A：你会打乒乓球吗？

B：我还没学呢。

练习 / Practice

完成对话 / Complete the dialogues.

（1）A：老师来了吗？

B：______________________。

（2）A：你用完我的词典了吗？

B：______________________。

（3）A：______________________。

B：没去呢，一会儿就去。

3. 虽然不是运动员，但是打得很好。

"虽然……但是……"表示前后内容的让步转折关系。也可以用"虽然……可是……"。还可以不用"虽然"，只用"但是"或"可是"表示转折。用"虽然"，表示承认这部分事实，后部分的转折关系更明显。"虽然＋主语……，但是＋主语……"和"主语＋虽然……，但是＋主语……"的形式都可以。就是说，"虽然"在主语前后都可以，"但是"要用在后一分句的句首。如：

"虽然……但是……" and "虽然……可是……" express a transition of two clauses. "但是" and "可是" can also be used separately to indicate a transition. This pattern first affirms and admits the fact following "虽然", and then emphasizes the clauses following "但是". "虽然 + Subject……，但是 + Subject……" and "Subject + 虽然……，但是 + Subject……" are both correct. That is, "虽然" can be placed before or after the subject, but "但是" must be placed at the beginning of the second clause, e.g.

（1）虽然他刚学了三个月汉语，但是他汉语说得很好。

（2）虽然山口吃了药，但是头还是疼。

（3）虽然昨天睡得很晚，但是今天早晨我很早就起床了。

（4）她虽然没见过你，但是看过你的照片，所以认识你。

练习 / Practice

完成句子 / Complete the sentences.

（1）虽然她年纪很大，____________________。

（2）这苹果虽然好，____________________。

（3）____________________，但是还是去上课了。

（4）____________________，但是他还不想睡觉。

4. 怪不得你头疼，原来玩儿了那么长时间。

“怪不得……原来……”表示说话人明白了先前不明白的原因。也可以先说原因，然后用“怪不得”说出现在的情况。注意：是“怪不得”+现在的情况，“原来”+原因，不要弄反了。如：

“怪不得……原来……” shows the speaker knows the cause that he or she didn't know firmly. Or, the cause can be explained first, then “怪不得” introduces the present state. Pay attention: “怪不得” + Present State, “原来” + Cause, e.g.

（1）怪不得他汉语说得好，原来他学了三年了。

（2）怪不得他不去医院，原来他怕打针。

（3）原来他没听懂啊，怪不得他没笑。

（4）原来昨天夜里下雨了，怪不得今天不热。

练习 / Practice

改写句子 / Rewrite the sentences.

（1）我知道他为什么没来上课了，因为他病了。

（2）他为什么买那么多苹果？噢，是因为他儿子喜欢吃苹果啊。

（3）因为她上市场了，所以我刚才打电话没人接。

（4）老人身体好，是因为他每天锻炼。

5. 听你的。

意思是，按你说的做。“听××的”是“按××的话做”，“不听××的”是“不按××说的做”，“别听××的”是“别按××的话做”。如：

The meaning is “to do as you say”. “听××的” is “按××的话做”, “不听××的” is “不按××说的做”, “别听××的” is “别按××的话做”, e.g.

（1）A：咱们别上街了，在家看电视吧。

B：好，听你的，不去了。

（2）A：他说让我买这件衣服。

B：你别听他的，他不知道什么衣服好看。

（3）A：我说不让你去，你不听我的。

B：是啊，你说得对，我不应该去。

（4）A：你听我的，把这个送给她，她一定会高兴的。

B：好吧，听你的，现在我就去。

练习 / Practice

完成对话 / Complete the dialogues.

（1）A：你身体不好，每天早晨去锻炼吧。

B：________________________________。

（2）A：________________________________。

B：对不起，我不能听你的，我已经跟她约好了。

（3）A：他说我们明天可以不去上课。

B：________________________________。

（4）A：________________________________。

B：听你的，我一定努力学习。

综合练习

Comprehensive Exercises

一、根据课文内容回答问题 / Answer questions according to the texts.

1. 昨天爱迪为什么给山口和美真打电话？
2. 今天是星期几？
3. 爱迪来的时候，山口在做什么？
4. 爱迪来的时候，美真做什么去了？
5. 中国人喜不喜欢打乒乓球？

6. 美真的朋友是运动员吗？
7. 他打乒乓球打得怎么样？
8. 爱迪哪儿不舒服？
9. 他昨天忙不忙？
10. 他以后还这么做吗？

二、叙述练习 / Depiction drill.

1. 假设你是爱迪，说一说第一段的故事。/ Suppose you are Eddie, tell the story of Paragraph 1.
2. 假设你是山口，说一说第一段的故事。/ Suppose you are Yamaguchi, tell the story of Paragraph 1.
3. 假设你是美真，说一说第二段的故事。/ Suppose you are Meizhen, tell the story of Paragraph 2.
4. 假设你是山口，说一说第二段的故事。/ Suppose you are Yamaguchi, tell the story of Paragraph 2.
5. 假设你是美真，说一说第三段的故事。/ Suppose you are Meizhen,tell the story of Paragraph 3.
6. 假设你是爱迪，说一说第三段的故事。/ Suppose you are Eddie, tell the story of Paragraph 3.

三、看图，参考下面的词语说一说学生的课外活动 / Talk about students' extracurricular activities according to the following pictures and words.

1. 游泳　打乒乓球　踢足球　跳舞

2. 聊天　看书　逛公园　看京剧

四、选择填空 / Choose the right words to fill in the blanks.

刚才　进来　遗憾　聊天　可　刻苦　那么　以后　应该　不好意思

1. 怪不得他学习好，原来他学习很（　　），星期天也不休息。
2. 你（　　）去哪儿了？我去你宿舍你不在。
3. 这次回家没看到我小时候的朋友，真（　　）。
4. 说错了，没关系，别（　　），我也常常说错。
5. 一天迟到可以，可是你不（　　）每天都迟到。
6. 他刚才（　　）坐了一会儿就走了。
7. 参加我们班的聚餐晚会吧，我想跟你（　　）。
8. 这次武术表演没有票了，（　　）再有表演我一定告诉你。
9. 没想到你会跳舞，而且跳得（　　）好。
10. 星期日我在家等你，你（　　）要来啊！

五、听老师问，根据实际情况回答 / Answer your teacher's questions according to the actual conditions.

1. 你常去健身吗？
2. 你喜欢看足球比赛还是喜欢看网球比赛？
3. 你们班开没开过聚餐晚会？
4. 你喜欢喝酒吗？

5. 你常跟谁一起逛公园？

6. 你去过歌厅唱歌吗？

7. 你会跳什么舞？

8. 你在哪儿看过中国武术表演？

9. 你会不会打乒乓球？

10. 你跟中国学生互相辅导吗？

六、大家说 / Speak.

1. 说说你在国内周末做什么。

2. 说说在中国周末你做什么。

中国生活常识介绍

Entertainment

Foreign students arriving in China have a variety of entertainments to choose. Some of the more popular are basketball, badminton and tennis.Our school provides suitable accomodation to enjoy these sports. All you need to do is to get the equipment and you are ready to go. As for bowling and billiard (pool), there are plenty of places to go and enjoy outside the campus. Moreover, big cities always have gyms with a suitable workout equipment, and they sometimes offer annual or monthly membership discount cards. But even without a membership you can just try it once. Our school has a movie theatre with the prices more affordable than outside the campus. Another way to spend your free time after a hard week of studying is to enjoy a rich assortment of Chinese cuisine. The big restaurants also frequently offer karaoke entertainment so having satisfied your appetite you may as well spend some time singing songs with your friends, even learn some Chinese songs. It is important to note, however, that night life in China is still not very popular. Most such facilities usually close around 11 or 12 p.m. And besides, the dormitory closes at 11 p.m. too.

第18课 你在哪儿理的发？

Lesson 18 Where did you get your hair do?

生词 New Words

理发		lǐ fà	haircut
光临	（动）	guānglín	be present
里面	（名）	lǐmiàn	inside
样式	（名）	yàngshi	style
以前	（名）	yǐqián	before
一样	（形）	yíyàng	same
烫发		tàng fà	marcel
自然	（形）	zìrán	nature
弯	（形）	wān	curvy
短	（形）	duǎn	short
照	（动）	zhào	take a photo
证件照	（名）	zhèngjiànzhào	certificate photograph
微笑	（动）	wēixiào	smile
稍	（副）	shāo	slightly
动	（动）	dòng	move
放大	（动）	fàngdà	enlarge
成	（动）	chéng	become
寸	（量）	cùn	inch
冲洗	（动）	chōngxǐ	develop
卷	（量）	juǎn	roll (a quantifier)
胶卷	（名）	jiāojuǎn	roll film
挑	（动）	tiāo	pick
各	（副）	gè	each
洗	（动）	xǐ	develop
数码相机		shùmǎ xiàngjī	digital camera
正	（副）	zhèng	just

合适	（形）	héshì	suitable
发廊	（名）	fàláng	barber's shop
头发	（名）	tóufa	hair
眼睛	（名）	yǎnjing	eye
理发师	（名）	lǐfàshī	barber
态度	（名）	tàidu	attitude
结业证	（名）	jiéyèzhèng	Certificate of Graduation
照相	（动）	zhàoxiàng	photograph
多	（副）	duō	much
主意	（名）	zhǔyì	idea
发型	（名）	fàxíng	hair style
时髦	（形）	shímáo	fashionable
吹风		chuī fēng	dry with a blower
照相馆	（名）	zhàoxiàngguǎn	photo shop
收据	（名）	shōujù	receipt
拍照	（动）	pāizhào	take a photo
抬	（动）	tái	raise
歪	（动）	wāi	askew

基本句
Sentences

有关理发、照相的常用语 / Expressions about haircut and photograph

1. 欢迎光临，里面请。
2. 你想理什么样式的？
3. 跟以前一样就行。

4. 烫发吗？
5. 烫自然弯的。
6. 理长一点儿还是短一点儿的？
7. 照一张证件照。
8. 请坐好，微笑一点儿，头稍低一点儿……不要动，好了。
9. 我想把这张照片放大，放成7寸的。
10. 冲洗一卷胶卷，挑好的各洗一张。
11. 冲洗数码相机的照片多少钱一张？

课 文
Texts

会话 1 Dialogue

山　口：啊，真漂亮！美真，你理发了？
美　真：漂亮吗？谢谢！是不是太短了？
山　口：不短，这样正合适。你是在哪儿理的？
美　真：就在邮局左边那个发廊。
山　口：我的头发也长了。我是一个月前理的。真该理了！
美　真：你也去理吧。是一个个子高高的、眼睛大大的女理发师理的，她的态度最好。
山　口：好，我就找她理。
美　真：老师不是说要交照片办结业证吗？理完发照相多漂亮！
山　口：是个好主意！

会话 2 Dialogue

理发员：欢迎光临！理发呀？

山　口：是啊。

理发员：你想理什么样式的？

山　口：跟以前一样就行。

理发员：请这边坐。（给山口理发 / Cut hair for Yamaguchi）这发型挺时髦的。是在这儿理的吗？

山　口：不是在这儿，是在日本理的。

理发员：怪不得。想不想烫一烫？我们这儿烫发技术不错。

山　口：不用烫。理完以后把前边吹一吹风就可以了。

理发员：（理完了 / The haircut is finished）好了，你看跟以前一样不一样？

山　口：嗯，不错，跟以前差不多。

会话 3 Dialogue

（美真在照相馆。/ Meizhen is in the photo shop.）

职　员：照相吗？里边请。

美　真：对，我想照证件照。

职　员：照几寸的？

美　真：2寸的。

职　员：冲洗几张？

美　真：洗10张吧。多少钱？

职　员：12块。

美　真：明天上午取可以吗？

职　员：可以。拿好收据。请到这边来拍照。

美　真：这样坐可以吗？

职　员：请把头稍抬一点儿，向左边歪一点儿，看这儿，好！

注释 Notes

1. 你是在哪儿理的发？

“是……的”结构强调动作行为发生的时间、地点、方式、人物等。被强调的部分在动词前，可以不用“是”，只用“被强调部分＋动词＋的”形式。

“是……的” emphasizes the time, location, manner and people, etc. of an act. The part emphasized is placed before the verb. “是” may be omitted. That is, “The Emphasized Part +Verb+的”.

Like the following sentence, 是一个个子高高的、眼睛大大的女理发师理的——emphasize the person is “一个个子高高的、眼睛大大的女理发师”

（1）一个个子高高的、眼睛大大的女理发师。（emphasize the person “个子高高，眼睛大大”）

（2）我是一个月前理的。（emphasize the time “一个月前”）

（3）是在这儿理的吗？（emphasize the location “在这儿”）

（4）是在日本理的（emphasize the location “在日本”）

否定式用“不是＋被强调部分＋动词＋的”，如“不是在这儿（理的）”。注意，（1）这种句式的动作行为是已经实现了的。如“他（是）昨天来的”，不能说“他（是）明天来的”。（2）如果有宾语，一般放在“的”字的后边。如“是在哪儿理的发”“是什么时候吃的饭”“是怎么做的作业”等。（3）“了”也是表示动作的完成，但“了”只是叙述这件事的实现，而“是……的”的作用是强调动词前面的某一部分。如：

The negative form is “不是＋The Emphasized Part＋Verb＋的”, e.g. “不是在这儿（理的）”. Pay attention: （1） The act has already taken place or completed, e.g. it is correct to say “他（是）昨天来的”, but “他（是）明天来的”is not correct. （2）if there is an object, the object is often placed after “的”, like “是在哪儿理的发” “是什么时候吃的饭” “是怎么做的作业” etc. （3）“了”also shows the completion of the act, but it only narrates the achievement of the act. The function of “是……的” is to emphasize the thing before the verb, e.g.

A：他来了吗？

B：来了。

A：怎么来的？

B：坐公交车来的。

“他来了吗”，问话人想知道“他来”这件事实现与否。“怎么来的”问话人想知道的是“怎么”，即“来”的方式。这时一定要用“（是）……的”句式，不能说“他怎么来了”或“坐公交车来了”。

“他来了吗”, the speaker wants to know whether he comes or not. “怎么来的”, the speaker wants to know how he comes, that is the way he comes. Here, “（是）……的” must be used. It’s not correct to say “他怎么来了” or “坐公交车来了”

练习 / Practice

就下面句子内容用“是……的”句式提问并回答。如：

Ask and answer questions with the pattern “是……的” according to the following sentences, e.g.

他今天上午做完了作业。

A：他什么时候做完的作业？

B：他今天上午做完的作业。

（1）他们骑自行车去公园了。

（2）山口昨天换钱了。

（3）美真跟爱迪一起去看电影了。

（4）他在市场买了苹果。

2. 跟以前一样就行

“跟……一样”说明事物的异同。“A + 跟 + B + 一样”，否定式是“A +跟 + B + 不一样”。有时要加上比较的事物的方面，用“A + 跟 + B + 一样 + 形/心理动词”。表示事物接近时，用“跟……差不多”，格式“A + 跟 + B + 差不多”。如：

“跟……一样”denotes comparison.“A + 跟 + B + 一样”, the negative form is “A + 跟 + B + 不一样”. Sometimes, in order to explain the comparative aspects, “A + 跟 + B +

一样 + Adjective/Optative Verb". To show things approaching, "A + 跟 + B + 差不多" is used, e.g.

（1）（你理的）跟以前的差不多。

（2）你写的字跟老师写的一样。

（3）这个苹果跟那个不一样。

（4）你理的发跟他理的一样漂亮。

（5）他的个子跟他爸爸一样高。

（6）他的汉语很好，跟中国人说得差不多。

（7）这里的商店跟韩国的差不多。

练习 / Practice

用"跟……一样""跟……差不多"改写下面的句子 / Rewrite the following sentences in the pattern of "跟……一样" or "跟……差不多".

（1）美真漂亮，美真的姐姐也漂亮。

（2）这个年轻人的身体好，那个老人的身体也好。

（3）这里的苹果三块钱一斤，那里的苹果两块八毛钱一斤。

（4）他喜欢学习汉语，我也喜欢学习汉语。

3. 个子高高的，眼睛大大的

"高高""大大"，形容词重叠，比不重叠表示的程度更深。"高高"表示"很高"，"大大"表示"很大"。有的形容词重叠含有可爱的色彩。重叠后的形容词后面一般要用"的"。双音节的形容词重叠方式一般为"AABB"式，如"漂亮"——"漂漂亮亮"，"舒服"——"舒舒服服"。注意，（1）不是所有的形容词都能重叠，这是由习惯决定的。如"累"不能说"累累"，"方便"不能说"方方便便"（2）形容词重叠后，不能再受程度副词修饰。如：

"高高" and "大大", adjectives are reduplicated for intensification."高高" means very tall, "大大" means very big. Some imply the color of loveliness."的" is often used after the reduplication of the adjective. The reduplication of double-syllable adjectives is "AABB", like "漂亮" —— "漂漂亮亮", "舒服" —— "舒舒服服". Pay attention: （1）not all adjectives can be reduplicated, depend on the habit, e.g. "累" can't be "累累", "方

便” can't be “方方便便”（2）the reduplication of adjectives can't be modified by degree adverbs, e.g.

（1）把头发剪得短短的，又凉快又漂亮。

（2）这样漂漂亮亮的，他一定喜欢。

（3）我希望你每天都快快乐乐的。

练习 / Practice

用形容词重叠方式改写句子 / Rewrite the following sentences with reduplication of adjectives.

他的眼睛很小。

4. 理完发照相多漂亮。

“多”用在形容词或心理动词前，表示感叹程度高。后边多用语气词“啊”与之呼应。如：

“多” is placed before adjectives or optative verbs, expressing high degree of exclamation. There is often a modal partical “啊” at the end of the sentence, e.g.

（1）他已经三年没回家了，多想家啊！

（2）骑自行车上街，多累啊！

（3）你的汉语说得多好啊！

（4）门前就是商店，多方便啊！

练习 / Practice

用表示感叹的“多”完成句子 / Complete the sentences with “多”.

（1）苹果10块钱一斤，____________________！

（2）三天没喝水，____________________！

（3）这本书____________________！

（4）这个理发师态度____________________！

5. 头稍低一点儿。

副词“稍”表示程度不高。常跟“一点儿”“一会儿”“一下儿”等配合使用。如：

The adverb "稍" shows the degree is not high. It is often used with "一点儿" "一会儿" "一下儿", e.g.

（1）这件衣服稍大了一点儿。

（2）请你稍等一会儿，他马上就来。

（3）他稍休息了一下儿，又继续看书了。

（4）我觉得我的感冒稍好一点儿了。

练习 / Practice

用"稍"完成句子 / Complete the sentences with "稍".

（1）我不喜欢学习，__________________就不想学了。

（2）昨天下了雨，天气__________________。

（3）我觉得她理发后__________________。

（4）别着急，__________________没关系。

综合练习

Comprehensive Exercises

一、根据课文回答问题 / Answer questions according to the texts.

1. 美真理的是长发还是短发？
2. 她是在哪儿理的？
3. 是谁给她理的？
4. 老师要照片做什么？
5. 山口说的好主意是什么？
6. 山口以前的头发是在哪儿理的？
7. 山口现在想理什么样的？
8. 山口以前的发型时髦吗？
9. 美真想照什么相？
10. 美真照的照片多长时间取？

二、叙述练习 / **Depiction Drill.**

1. 假设你是美真，说一说第一段的故事。/ Suppose you are Meizhen, tell the story of Dialogue 1.
2. 假设你是山口，说一说第一段的故事。/ Suppose you are Yamaguchi, tell the story of Dialogue 1.
3. 假设你是山口，说一说第二段的故事。/ Suppose you are Yamaguchi, tell the story of Dialogue 2.
4. 假设你是理发员，说一说第二段的故事。/ Suppose you are the barber, tell the story of Dialogue 2.
5. 假设你是照相馆职员，说一说第三段的故事。/ Suppose you are the employee in the photo shop, tell the story of Dialogue 3.
6. 假设你是美真，说一说照相的故事。/ Suppose you are Meizhen, tell the story of taking photos.

三、看下面的图，参考所给的词语各说一段话 / **Give speeches according to the following pictures and words.**

1. 理发师　个子高高的　眼睛大大的　态度好　发型　时髦　长发　短发　吹风　烫发

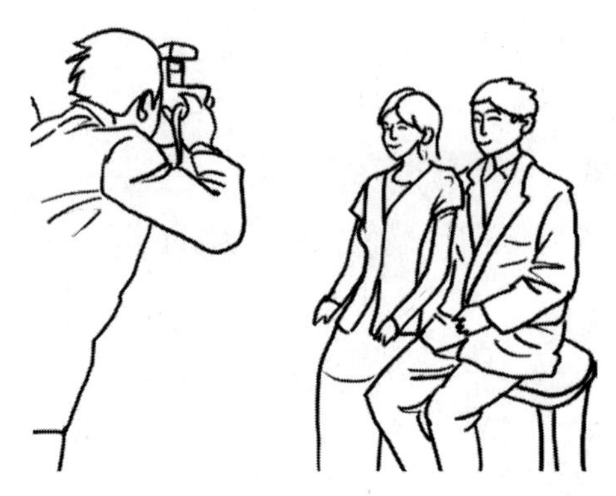

2. 照相馆　照相　证件照　头　稍　歪　抬　取相　收据　冲洗　几寸

四、选择填空 / Choose the right words to fill in the blanks.

歪　各　态度　自然　主意　收据　时髦　挑　以前　样式

1. 买苹果的时候，要（　　）甜的。
2. 他（　　）学过三年汉语。
3. 这种手机的（　　）我很喜欢。
4. 你借他的词典的时候，（　　）应该好一点儿。
5. 他照相的时候有点儿不好意思，所以笑得不（　　）。
6. 这事怎么办？你想个（　　）吧。
7. 我觉得她的发型很（　　）。
8. 美真和山口（　　）买了一张音乐光盘。
9. 他的（　　）找不到了，还能取照片吗？
10. 你猜，她（　　）着头在想什么呢？

五、听老师问，根据实际情况回答问题 / Answer your teacher's questions according to the actual conditions.

1. 你理发多长时间了？
2. 你的发型时髦吗？
3. 你喜欢长发还是喜欢短发？
4. 你烫过发吗？
5. 你每天早上吹头发吗？
6. 你以前学习有结业证吗？

7. 你觉得理完发就照相好不好?
8. 你去照相馆照过相吗?
9. 你喜欢用胶卷相机还是喜欢用数码相机?
10. 有人看你照相时，你觉得自然吗?

六、大家说 / Speak.

1. 说一说你的一次理发经过。
2. 说一说你的一次照相经过。

中国生活常识介绍

Going to a Barber and a Photo Studio.

There are numerous barber shops in China, of all sorts and levels of affordability.In stylish beauty shops the prices are accordingly high with as much as 50 yuan for a simple haircut. Smaller barber shops are of course much cheaper as the price can go down to 5-10 yuan for the same service, but the service itself is accordingly less recommendable. Most barber shops are located along the city streets. Those who come to barber shops are usually regular visitors who like chatting with the barber and simply enjoying their time there in a relaxed atmosphere. There, most customers do not have special hairstyle requirements. In more stylish beauty shops the prices are naturally higher and the service of a higher standard. You will get the full service, until you feel totally satisfied. If you are planning to attend a banquet, a negotiation table or other formal occasion, the best place to get your hair done is one of these high standard beauty shops.

At present, the regular photo studios do only two kinds of photographs: a wedding picture and ID photos. The ID photos will be ready in a day. As for the wedding picture, the studio management will notify you when the photos are ready.You can choose the ones you like best. As for your own photos, there are many shops around where you can leave them for processing without any inconvenience.

第19课 欢迎你常来玩儿！

Lesson 19 Welcome to come again and have fun!

生词 New Words

请客		qǐng kè	treat a meal
做客		zuò kè	be a guest
空儿	（名）	kòngr	time; vacancy
抱歉	（形）	bàoqiàn	sorry; regret
接受	（动）	jiēshòu	accept
邀请	（动）	yāoqǐng	invite
没意思		méi yìsi	uninteresting
尝	（动）	cháng	taste
东西	（名）	dōngxi	thing; stuff
比如	（动）	bǐrú	for instance; for example
大白菜	（名）	dàbáicài	Chinese cabbage
什么的	（代）	shénmede	and so on
心意	（名）	xīnyì	intention
收下	（动）	shōuxià	receive; accept
厨师	（名）	chúshī	cook
厨房	（名）	chúfáng	kitchen
帮忙		bāng máng	help
嘴	（名）	zuǐ	mouth
准备	（动）	zhǔnbèi	prepare
好喝	（形）	hǎohē	tasty (for drinking)
冰箱	（名）	bīngxiāng	refrigerator
可乐	（名）	kělè	cola
茶	（名）	chá	tea
咖啡	（名）	kāfēi	coffee
热情	（形）	rèqíng	enthusiastic
招待	（动）	zhāodài	serve

告辞	（动）	gàocí	leave
是	（副）	shì	indeed
好吃	（形）	hǎochī	tasty
味道	（名）	wèidao	flavor
极	（副）	jí	extremely
简直	（副）	jiǎnzhí	simply
饭店	（名）	fàndiàn	restaurant
夸	（动）	kuā	praise
满意	（动）	mǎnyì	satisfy
手艺	（名）	shǒuyì	skill
说话算数		shuō huà suàn shù	keep one's word
馋	（形）	chán	greedy
难道	（副）	nándào	(an adverb to strengthen rhetorical tone)
骗	（动）	piàn	cheat
送	（动）	sòng	send-off

基本句
Sentences

有关请客、做客的常用语 / Expressions about hosts and guests

1. 明天晚上你有空儿吗？我想请你到我家做客。
2. 很抱歉，明天我有点儿事，后天去可以吗？
3. 我接受邀请，明天我一定去。
4. 星期天来我宿舍吃饺子吧？
5. 欢迎，欢迎。快请进。

6. 请坐。喝点儿什么？
7. 您别忙了，我自己来。
8. 您的菜做得太好吃了！谢谢！
9. 时间不早了，我该回去了。
10. 慢走，欢迎再来。

课文
Texts

会话 1 Dialogue

爱　迪：山口走了，你一个人觉得没意思吧？
美　真：可不是。哎，你吃过韩国菜吗？
爱　迪：在美国吃过一次。怎么，你会做吗？
美　真：当然！这样吧，今天我做韩国菜，请你来尝尝，怎么样？
爱　迪：真的吗？太好了！用不用我买什么东西？比如，大白菜、土豆什么的。
美　真：不用，你来吃就可以了。
爱　迪：哎，我把黄飞带去可以吗？
美　真：可以，你的朋友就是我的朋友。一起来吧。

会话 2 Dialogue

爱　迪：（敲门 / Knock at the door）美真在吗？
美　真：（开门 / Open the door）快请进！欢迎你们！
黄　飞：（送上水果 / Give some fruit）这是我们的一点儿心意，请收下。
爱　迪：厨师辛苦了！

美　真：哎呀，你们太客气了！谢谢！

黄　飞：我们去厨房帮帮忙吧？

美　真：我已经把菜做好了，你们把嘴准备好就行了。快请坐吧。喝点儿什么？

爱　迪：都有什么好喝的东西？

美　真：冰箱里有可乐，这有茶和咖啡。想喝什么就喝什么。

黄　飞：好，你忙吧，我们自己来。

会话 3 Dialogue

黄　飞：谢谢你的热情招待。爱迪，时间不早了，咱们该告辞了吧？

爱　迪：哎呀，是该走了。今天的菜太好吃了！

黄　飞：是啊，味道好极了！美真简直可以开饭店了！

美　真：别夸了，你们吃得满意我就高兴了。

黄　飞：过几天请你们到我家尝尝我的手艺。

美　真：你可要说话算数啊！

爱　迪：你真馋！难道黄飞能骗你吗？

黄　飞：不会骗你的。那我们回去了。再见。

美　真：慢走。欢迎你们常来玩儿。

黄　飞：别送了，请回吧。

注释 Notes

1. 比如大白菜、土豆什么的

"比如"表示举例。"……什么的"表示没有列举出来的很多同类事物。如：

"比如"gives examples. "……什么的" means "and so on", denoting same kinds of things that are not listed, e.g.

（1）你上街买点儿水果来，比如苹果、橘子、香蕉什么的。

（2）她的书包里有很多东西，比如课本、词典、笔什么的。

（3）我很喜欢吃中国饭，比如包子、饺子什么的。

练习 / Practice

用“什么的”完成句子 / Complete the sentences with “什么的”.

（1）我喜欢看球赛，比如＿＿＿＿＿＿＿＿。

（2）他每天下课后就去锻炼，比如＿＿＿＿＿＿＿。

（3）星期天你也出去玩儿玩儿吧，比如＿＿＿＿＿＿＿。

2. 想喝什么就喝什么

疑问代词“什么”指代不确定的同一事物，前后呼应。这里指代不确定的饮料。意思是，（你们）想喝茶就喝茶，想喝咖啡就喝咖啡，想喝可乐就喝可乐，随便。其他疑问代词也有这种用法。如：

The interrogative pronoun “什么” refers to something indefinite, the first one and the second one correspond with each other, here refers to some indefinite drinking. That is, if you want to drink tea, drink tea; if you want to drink coffee, drink coffee; if you want to drink cola, drink cola; all depends on you. Other interrogative pronouns also have the same usage, e.g.

（1）周末真好，想玩什么就玩什么。

（2）没关系，你想怎么说就怎么说吧。

（3）想好了吗？谁想好了谁说。

（4）这样吧，哪儿人少咱们就去哪儿。

练习 / Practice

用疑问代词的不确指用法完成句子 / Complete the sentences with interrogative pronouns.

（1）你看，这么多水果，你想吃＿＿＿＿＿＿＿。（什么）

（2）这些地方都很有意思，你喜欢＿＿＿＿＿＿＿。（哪儿）

（3）去商店骑自行车或者坐公交车都可以，＿＿＿＿＿＿＿。（怎么）

（4）他们都很热情，＿＿＿＿＿＿＿＿＿。（谁）

3. 是该走了

“是”在这里是语气副词，表示强调确定的语气，相当于“真的”“确实”一类。读或说的时候语气要加重。要比表示判断的“是”说得重。如：

“是” is a modal adverb here, expressing emphasis. It is equal to “real” and “indeed”, etc. It is much more stressed in reading or speaking than the one expressing judgement, e.g.

（1）A：听说爱迪喜欢看篮球赛。

B：不错，他是喜欢看篮球赛。

（2）A：那儿离这儿挺远吧？

B：是不近，但是有车。

（3）A：昨天的作业太难了！

B：是难，我做三个小时才做完。

练习 / Practice

用表示强调的“是”完成对话 / Complete the dialogues with “是”.

（1）A：我觉得那个运动员技术好极了！我喜欢他。

B：______________________________。

（2）A：今天的天气太热了，你说呢？

B：______________________________。

（3）A：听说爱迪的汉语说得挺好，可以当翻译了吧？

B：______________________________。

4. 美真简直可以开饭店了

“简直”，副词，表示说话人的夸张。如：

“简直”, adverb, shows the speaker’s exaggeration, e.g.

（1）他跑得非常快，简直跟运动员一样。

（2）那个老人身体太好了，简直可以跟年轻人一起踢足球。

（3）他汉语说得简直跟中国人一样。

（4）这里的天气简直要把我热死了。

练习 / Practice

用"简直"完成句子 / Complete the sentences with "简直".

（1）他很帅，________________。

（2）车走得太慢了，________________。

（3）美真的头发真漂亮，________________。

（4）你太馋了，________________。

5. 难道黄飞能骗你吗？

反问句，意思是黄飞不能骗你，你不应该怀疑。

This is a rhetorical question. The meaning is Huang Fei would not cheat you and you should not doubt him.

反问句是一种无疑而问的句子，目的是加强语气来说明现在情况的不合理。肯定形式的（句中没有否定词"不""没"）反问句表示否定意义，否定形式的（句中有否定词"不""没"）反问句表示肯定意义。用"难道"表示语气更强，不用"难道"也可以。如：

The rhetorical questions are used to emphasize the unreasonable conditions requiring no reply. The affirmative form (without negative word "不" "没" in the sentence) emphasizes negation; the negative form (with negative words "不" "没" in the sentence) emphasizes affirmation. "难道" is used to express a much stronger tone. It is also correct without using "难道", e.g.

（1）他是你朋友，你能不认识？（你认识，你不应该说不认识）

（2）下这么大雨，能去吗？（不能去，你不应该说去）

（3）妈妈在叫你，难道你没听见吗？（你听见了，不应该不回答）

（4）他才15岁，能工作吗？（他不能工作，你不该让他工作）

（5）一天没吃饭了，难道你不饿吗？（你一定饿了）

练习 / Practice

把下面的句子变成反问句 / Change the following sentences into rhetorical questions.

（1）这当然是你写的。

（2）我们都想去，你一定也想去。

（3）你会，我也会。

（4）孩子也要吃饭。

综合练习
Comprehensive Exercises

一、根据课文回答问题 / Answer questions according to the texts.

1. 美真现在还有同屋吗？
2. 爱迪吃没吃过韩国菜？
3. 美真会做韩国菜吗？
4. 爱迪想一个人去美真那里做客吗？
5. 黄飞给美真带什么东西了？
6. 美真用不用他们帮忙？
7. 黄飞说喝可乐喝茶都可以，是吗？
8. 美真的菜做得怎么样？
9. 黄飞想请美真吃中国菜吗？
10. 黄飞是不是在骗美真？

二、叙述练习 / Depiction Drill.

1. 假设你是美真，说一说这个故事。/ Suppose you are Meizhen, tell the story.
2. 假设你是爱迪，说一说这个故事。/ Suppose you are Eddie, tell the story.
3. 假设你是黄飞，说一说这个故事。/ Suppose you are Huang Fei, tell the story.

三、看下面的图，参考所给的词语各说一段话 / **Give speeches according to the following pictures and words.**

1　　　　　　2　　　　　　3

1. 邀请　时间　做客　没事　一定　谢谢
2. 欢迎　一点儿心意　收下　请坐　喝点儿什么　别忙了　自己来
3. 告辞　不早了　谢谢招待　接受　按时　别送了　慢走　欢迎再来

四、选择填空 / **Choose the right words to fill in the blanks.**

空儿　抱歉　没意思　说话算数　满意　夸　骗　送　极　热情

1. 她的工作很好，爸爸很（　　）。
2. 对不起，很（　　），今天我没时间，明天可以吗？
3. 听说这个电影（　　），我不想看。
4. 他（　　），今天真的请美真和爱迪吃中国菜了。
5. 真的吗？你不是（　　）我们吧？
6. 美真（　　）招待黄飞和爱迪 。
7. 这里的天气真是热（　　）了！
8. 朋友要回家了，我去机场（　　）她。
9. 我们都（　　）他的篮球打得好。
10. 你明天有（　　）吗？我们去逛公园吧。

五、听老师问，根据实际情况回答问题 / **Answer your teacher's questions according to the actual conditions.**

1. 你喜欢跟朋友一起吃饭吗？
2. 朋友请你吃饭时，你高兴不高兴？
3. 你去朋友家做客时，带什么东西？
4. 朋友去你家做客，给你带什么东西了？
5. 你请朋友喝了什么？
6. 你喜欢喝茶还是咖啡？
7. 你做菜的手艺怎么样？
8. 有人夸过你做菜做得好吗？
9. 客人要告辞的时候，说什么？
10. 送客人的时候说什么？

六、大家说 / **Speak.**

1. 说一次你请客的经过。
2. 说一次你做客的经过。

中国生活常识介绍

Inviting Guests and Being a Guest

The Chinese people are very hospitable. If you coming as a guest to Chinese home, you will always receive an enthusiastic welcome.The host will first you a cup of tea, some fruits or sweets. As the meal time approaches, you will be invited to stay and join. There will be four, six, sometimes eight courses offered. During the meal, the host will constantly offer you more food until you simply can no longer finish what you have on your plate. Many foreign students when invited to a Chinese home and offered a meal eat more than they actually can since they eat everything the host is putting on their plate. The host is simply hoping that you will eat well so if you already feel full, you should tell

your host and stop eating the food still remaining on your plate. Only this way will the host finally know that you really cannot eat anymore and will not offer you any more food. Similarly with drinking alcohol. The host will ask you to drink until you are dead drunk. Only this way will the host think that the guest is fully satisfied.Otherwise, he will not consider himself a good host. When you are invited to a Chinese home, don't forget to bring some fruits or other small gifts for the host.

第20课 是订票中心吗？

Lesson 20 Is this a ticket center?

生词 New Words

订	（动）	dìng	book
中心	（名）	zhōngxīn	center
旅行	（动）	lǚxíng	travel
旅行社	（名）	lǚxíngshè	travel agency
飞	（动）	fēi	fly
昆明	（专名）	Kūnmíng	Kunming
经济舱	（名）	jīngjìcāng	tourist class
北京	（专名）	Běijīng	Beijing
次	（名）	cì	a quantifier for train route
硬座	（名）	yìngzuò	hard seat
卧铺	（名）	wòpù	sleeper
友谊宾馆	（专名）	Yǒuyì Bīnguǎn	Friendship Hotel
预订	（动）	yùdìng	reserve
单间	（名）	dānjiān	single room
夜	（名）	yè	night
名胜古迹		míngshèng gǔjì	scenic spots and historical sites
风景	（名）	fēngjǐng	scenery
美	（形）	měi	beautiful
比	（介）	bǐ	than; compare
一路顺风		yílù shùnfēng	have a good trip
愉快	（形）	yúkuài	delight
考试		kǎo shì	examination
成绩	（名）	chéngjì	result; score
心情	（名）	xīnqíng	mood
开玩笑		kāi wánxiào	joke
相信	（动）	xiāngxìn	believe

越……越……		yuè...yuè...	the more...the more...
却	（副）	què	but; yet
差	（形）	chà	bad
紧张	（形）	jǐnzhāng	nervous
不如	（动）	bùrú	not as good as
特快	（名）	tèkuài	red ball; express
铺	（名）	pù	berth
开往	（动）	kāiwǎng	drive up to
主要	（形）	zhǔyào	major
景点儿	（名）	jǐngdiǎnr	sight
长城	（专名）	Chángchéng	the Great Wall
故宫	（专名）	Gùgōng	the Palace Museum
天安门	（专名）	Tiān'ānmén	Tian'anmen
颐和园	（专名）	Yíhéyuán	the Summer Palace
机会	（名）	jīhuì	chance; opportunity
路上	（名）	lùshang	on the way
注意	（动）	zhùyì	pay attention to
小心	（动）	xiǎoxīn	take care
被	（介）	bèi	by (particle for passive voice sentences)
小偷	（名）	xiǎotōu	thief
偷	（动）	tōu	thieve
一路平安		yílù píng'ān	have a good trip; have a peace trip

基本句
Sentences

有关旅行的常用语 / Expressions about travel

1. 咱们一起去旅行吧。
2. 跟旅行社去还是自己去？
3. 订一张15号飞昆明的飞机票，要经济舱。
4. 订三张3号晚上去北京的81次火车票，硬座、卧铺都可以。
5. 友谊宾馆吗？我要预订房间。
6. 要两个单间，住一夜。
7. 那里有很多名胜古迹。
8. 这儿的风景多美啊！
9. 乘飞机比乘火车贵得多。
10. 祝你一路顺风，旅行愉快！

课　文
Texts

会话 1 Dialogue

爱　迪：考完试了，该好好儿放松一下了！

美　真：我考试成绩不太好，我的心情也不太好。

爱　迪：你开玩笑吧？我不相信你考得不好。

美　真：真的。我觉得别人越学越好，我却越学越差。

爱　迪：怎么可能呢！一定是考试紧张了。这样吧，咱们去北京看看，换换心情。

美　真：好吧。怎么去？坐飞机比坐火车快吧？

爱　迪：火车不如飞机快，但是比飞机方便。在火车上睡一夜觉，早晨就到了。

美　真：那就订火车票吧。

会话 2 Dialogue

爱　迪：订票中心吗？

服务员：对，请问你有什么事？

爱　迪：我想订两张星期五晚上去北京的卧铺票。

服务员：噢，是83次特快。请问您要上铺、中铺还是下铺？

爱　迪：下铺最方便，要下铺吧。

服务员：下铺没有了，中铺可以吗？中铺没有下铺方便，可中铺票价比下铺便宜15块钱。

爱　迪：那……也可以。

服务员：好，那就是星期五晚上8点半的开往北京的两张83次中铺票，对吧？

爱　迪：对。两张一共多少钱？

服务员：510块。请明天中午以前来这儿交钱取票。

会话 3 Dialogue

爱　迪：黄飞，我这个周末要去北京旅行。

黄　飞：好啊，去看看北京的名胜古迹。你想玩儿几天？

爱　迪：只有两天时间。

黄　飞：北京比这儿大得多！两天时间看不完！

爱　迪：先看看主要的景点儿吧。

黄　飞：那就先看看长城、故宫、天安门和颐和园。

爱　迪：好，别的以后有机会再看吧。

黄　飞：路上注意，小心东西被小偷偷了。如果有事就找警察。还有，别忘了带护照。

爱　迪：知道了。那我们回来再见吧。

黄　飞：回来再见。祝你一路平安，旅行愉快！

注释 Notes

1. 乘飞机比乘火车贵得多。

有“比”字的比较句。基本格式：“A + 比 + B + 形容词/心理动词 + 程度/数量”。否定格式：“A+不比+B+形容词/心理动词”、“A+不如/没有+B”。注意：（1）不能把“不”和程度副词“很”“非常”“特别”等用在形容词/心理动词前面，比如不能说“乘飞机比乘火车不贵”“乘飞机比乘火车很便宜”。（2）否定格式形容词/心理动词后面一般不出现比较的程度。比如，不能说“乘飞机不如乘火车便宜得多”。（3）否定格式中的形容词一般要用积极意义的。如：“我没有他跑得快”，不说“他没有我跑得慢”。如：

Comparative sentences with “比”. The basic pattern is “A + 比 + B + Adjective/Optative Verb + Degree/Numeral-Quantifier Compound”. The negative patterns are “A + 不比 + B + Adjective/Optative Verb” and “A + 不如/没有 + B”. Pay attention: (1) “不” and degree verbs (“很” “非常” “特别”) can not be placed before adjectives or optative verbs, e.g. it is not correct to say “乘飞机比乘火车不贵” or “乘飞机比乘火车很便宜”. (2) In the negative pattern, the comparison in degree can't appear after adjectives or optative verbs,. e.g. it is incorrect to say “乘飞机不如乘火车便宜得多”. (3) In the negative pattern, adjectives should have positive meanings. e.g. it is “我没有他跑得快” and it is incorrect to say “他没有我跑得慢” e.g.

（1）坐飞机比坐火车快。

（2）火车不如飞机快，但是比飞机方便。

（3）中铺没有下铺方便，可中铺票价比下铺便宜15块钱。

（4）北京比这个城市大得多。

（5）我比哥哥小三岁。

（6）现在北京跟昆明差不多，不比昆明热。

（7）你说妈妈漂亮，我觉得女儿比妈妈更漂亮。

（8）那件衣服便宜，这件比那件还便宜呢！

练习 / Practice

用比较句（肯定/否定）改写下面的句子，看看每个句子能改几个。如：

Rewrite the following sentences into comparative patterns as much as possible, e.g.:

他23岁，我20岁。——（1）他比我大。　　（2）我比他小。

（3）他比我大三岁。　　（4）我比他小三岁。

（5）我不如他大。　　（6）我没有他大。

（1）苹果三块钱一斤，橘子两块钱一斤。

（2）飞机票1530元，火车票500元。

（3）飞机场离这儿40公里，火车站离这儿10公里。

（4）这次考试，爱迪95分，美真80分。

（5）这个电影有意思，那个电影没有意思。

（6）她小时候不漂亮，现在很漂亮。

（7）美真做的韩国菜好吃，黄飞做的中国菜更好吃。

（8）这个教室有15张桌子，那个教室有16张桌子。

2. 我觉得别人越学越好，我却越学越差。

“越……越……”这是表示随着条件变化，事物程度发生变化的格式。“越”必须两个连用。第一个“越”表示条件变化，第二个“越”表示事物随之发生的程度变化，第二个“越”后边应该是形容词或心理动词。注意：由于“越”已经表示程度加深，所以形容词或心理动词前不能再用程度副词，如，不能说“越学越很好”。

“越……越……” is used to indicate that something changes in degree with the development of circumstances. There must be two “越”. The first one indicates the development of circumstances. The second one indicates the degree of the change. fter the second “越”, there should be adjectives or optative verbs. Pay attention: “越” implies a sense of “being high in degree”, and therefore, the adjective or optative verb can not be modified by an adverb of degree, e.g. It is incorrect to say “越学越很好”.

（1）他越说越快，我们都没听懂。

（2）哎，我怎么觉得越吃越饿呀？

（3）越走离家越远。

（4）我们的汉语越学越好。

（5）他越说，我越生气。

练习 / Practice

用“越……越……”格式完成句子 / Complete the sentences with “越……越……”.

（1）时间越过________________。

（2）东西越买________________。

（3）这个电影太好了，我________________。

（4）我喜欢学汉语，________________。

跟“越……越……”相近的还有“越来越……”格式，表示随着时间的推移，事物程度发生变化。如：

Similarly, “越来越……” is used to indicate that something changes in degree with the progress of time, e.g.

（1）天气越来越热了。

（2）他的病越来越严重。

（3）我越来越喜欢他了。

“却”副词，表示转折。注意：“却”不能用在主语前边，不能说“却我越学越差”。“但（是）”是连词，用在主语前边，可以说“但（是）我越学越差”。“但（是）”和“却”可以同时使用，如，可以说“但我却越学越差”。

“却” is an adverb expressing transition. Pay attention: “却” can not be placed before subject. It is incorrect to say “却我越学越差”. As a conjunction,“但（是）” can be placed before subject. “但是” and “却” can be used together, e.g. “但我却越学越差”.

（1）他吃了药，头却更疼了。

（2）美真平时学习成绩很好，考试却没考好。

（3）他约我今天去看电影，他自己却忘了。

（4）已经是春天了，天气却一直很冷。

练习 / Practice

用“却”完成句子 / Complete the sentences with “却”.

（1）这个地方苹果很多，______________________。

（2）今天中午我没吃饭，______________________。

（3）那位老人已经80岁了，______________________。

（4）他不喜欢我，______________________。

3. 小心东西被小偷偷了

介词“被”表示主语被动。主动句是“小偷偷了东西”，被动句是“东西被小偷偷了”。“东西”是“偷”的宾语，是被偷的，现在作了主语。“小偷”是“偷”的主动者，现在是介词“被”的宾语。格式是：“名（受事者）+ 被 + 名（施事者）+ 动 + 其他”。

The preposition “被” expresses passive voice. The active sentence is “小偷偷了东西” and the passive one is “东西被小偷偷了”. “东西”, the object of “偷”, acts as the subject. 小偷”, the subject of “偷”, acts as the object of the preposition “被”. The pattern is “Noun（Recipient）+ 被+ Noun（Agent）+ Verb + Other elements”

注意：（1）“被”字句的动词一般是处置意义的。（2）主语是确指的。不能说“一个东西被小偷偷了”。（3）动词后面一般有其他词语。（4）能愿动词和否定词在“被”字前面。（5）汉语里被动句用得不多。口语中也用“让”“叫”表示被动。表示被动的“让”“叫”是介词。如：

Pay attention: (1) the verb must be a transitive verb that normally can govern or affect the subject. (2) The subject is definite. It is incorrect to say “一个东西被小偷偷了”. (3) The verb is normally followed by some other element. (4) Optative verb and negative word are placed before “被”. (5) The passive sentence is not used very often in Chinese. In spoken Chinese, the prepositions “让” and “叫” also express passive voice, e.g.

（1）我的书被爱迪借去了，你跟别人借吧。

（2）今天的饭都被他吃了。

（3）小偷偷钱被警察看见了。

（4）那些衣服都被那个人买去了。

（5）自行车叫他骑坏了。

（6）那本画报让谁拿走了呢？

练习 / Practice

把下面的句子改写成被动句 / Rewrite the following sentences into passive sentences.

（1）他骑走了自行车。

（2）我把这个字写错了。

（3）美真没把照片取走。

（4）这个孩子喝了那瓶可乐。

4. 如果有事就找警察。

连词“如果”表示假设，跟“要是”的用法一样，后面常跟“就”搭配。格式是：“如果……就……”。如：

The conjunction “如果” has the same usage with “要是”, indicating the result of a hypothetical condition. It is always matched with “就”. The pattern is as follows: “如果……就……”, e.g.

（1）如果明天下雨，我们就不上街了。

（2）如果没钱，就不去北京了。

（3）他如果不去，我就去。

练习 / Practice

加上“如果……就……”，把下列词语组成句子 / Make sentences with “如果……就……”.

（1）你　不舒服　别上课

（2）你　有时间　到　我家　吃中国菜

（3）他　没时间　你　自己　来

综合练习

Comprehensive Exercises

一、根据课文回答问题 / Answer questions according to the texts.

1. 美真为什么心情不太好？
2. 爱迪觉得美真可能考得怎么样？
3. 美真和爱迪想怎样换换心情？
4. 他们怎么去北京？
5. 火车和飞机哪种更方便？
6. 爱迪想订什么火车票？
7. 哪种卧铺最方便？
8. 北京和他们的城市哪个大？
9. 北京最主要的名胜古迹都有哪些？
10. 如果旅游时有了事怎么办？

二、叙述练习 / Depiction Drill.

1. 假设你是美真，说一说这段故事。/ Suppose you are Meizhen, tell the story.
2. 假设你是爱迪，说一说这段故事。/ Suppose you are Eddie, tell the story.
3. 假设你是黄飞，说一说这段故事。/ Suppose you are Huang Fei, tell the story.

三、看下面的图，参考所给的词语各说一段话 / **Give speeches according to the following pictures and words.**

1　　　　　　　　　　2

1. 订票　飞机　经济舱　两张　交钱　取票
2. 旅游　北京　名胜古迹　天安门　颐和园　故宫　漂亮

四、选择填空 / **Choose the right words to fill in the blanks.**

心情　开玩笑　相信　差　偷　小心　注意　机会　紧张　主要

1. 你别跟他（　　），他爱生气。
2. 他一考试就（　　），所以成绩总不好。
3. 出去旅游，也是学习汉语的好（　　）。
4. 他上街的时候，不小心，手机被小偷（　　）走了。
5. 这个电影的（　　）意思是什么？你看懂了吗？
6. 你平时不努力学习，所以成绩很（　　）。
7. 上课的时候，我没（　　），不知道今天的作业是什么。
8. 多穿点儿衣服吧，今天天太冷了，（　　）感冒。
9. 你别（　　）他刚才说的话，他常常骗人。
10. 我今天（　　）不好，不想学习，只想睡觉。

五、听老师问，根据实际情况回答问题 / **Answer your teacher's questions according to the actual conditions.**

1. 你考试时紧张吗？

2. 你平时的成绩好不好？
3. 你心情不好的时候想干什么？
4. 你喜欢旅游吗？
5. 你知道中国有什么名胜古迹？
6. 你们国家有什么主要的名胜古迹？
7. 你旅行喜欢坐火车还是坐飞机？
8. 你觉得坐飞机好还是坐火车好？
9. 你被小偷偷过东西吗？
10. 别人去旅行时，你对他说什么？

六、大家说 / Speak.

1. 说一次你考试的情况。
2. 说一说怎么预订火车票。
3. 你喜欢旅行吗？你都去过哪些地方？
4. 介绍一个你喜欢的名胜古迹。

中国生活常识介绍

Travel Transport

When traveling in China, the three major forms of passenger transport are airlines, trains, and long-distance buses. Of course taking a plain is about 100% more expensive than going on a train. However, if you order the air ticket long in advance, you may get a discount. If the airlines are offering discounted prices, they are as follows: order 45 days in advance and receive a 60% discount, order 30 days in advance and get a 55% discount, order 15 days in advance and get 50% discount etc. This way the prices for air tickets and train tickets can actually become roughly equal.There are three types of trains: superexpress, express and regular trains (accommodation trains, quite slow as they stop on every station). The superexpress trains are always long-distance and have no or just one station.Express trains stop only in major cities, the regular train as above.Chinese trains offer three different accommodation classes: a soft sleeper carriage, hard sleeper, and a hard seat.The price accordingly varies.The soft sleeper is more than twice as expensive as the hard seat, the hard sleeper usually just doubles the price for the hard seat.

And how do we order the tickets? The most economical way of course is to buy them directly from the ticket office.Usually you can purchase 10 days in advance without paying the advance sale fee. If you are ordering through a travel agency, hotel etc., the ordering fee is 30 to 60 yuan.If you do it over the phone, the commission is somewhere between 20 and 50 yuan. Normally, you can order a ticket valid for 2 to 10 days. You can also use the internet to order. These tickets can be valid for 6 to 11 days.

The processing fee is 5 yuan and you need to go to an indicated place to purchase.

词语总表
Vocabulary Index

A

阿姨	（名）	āyí	12
哎	（叹）	āi	13
哎呀	（叹）	āiyā	8
唉	（叹）	āi	12
爱	（动）	ài	6
爱迪	（专名）	Àidí	1
按时	（副）	ànshí	16

B

八	（数）	bā	7
巴黎	（专名）	Bālí	4
把	（量）	bǎ	5
把	（介）	bǎ	13
爸爸	（名）	bàba	3
吧	（助）	ba	3
百	（数）	bǎi	5
百货商店		bǎihuò shāngdiàn	15
班	（名）	bān	4
办	（动）	bàn	9
办法	（名）	bànfǎ	9
办公楼	（名）	bàngōnglóu	10
半	（量）	bàn	11
半夜	（名）	bànyè	17
帮	（动）	bāng	9
帮忙		bāng máng	19
棒	（形）	bàng	12
包子	（名）	bāozi	6
报纸	（名）	bàozhǐ	7
抱歉	（形）	bàoqiàn	19
杯	（名）	bēi	6
北	（名）	běi	10
北京	（专名）	Běijīng	20
被	（介）	bèi	20
本子	（名）	běnzi	2
比	（介）	bǐ	20
比如	（动）	bǐrú	19
比赛	（名）	bǐsài	17
笔	（名）	bǐ	2
边	（名）	biān	10
遍	（量）	biàn	10
表演	（动）	biǎoyǎn	17
别	（副）	bié	7
别的	（代）	biéde	9

别人	（代）	biérén	13
冰箱	（名）	bīngxiāng	19
播	（动）	bō	14
拨打	（动）	bōdǎ	9
不错	（形）	búcuò	14
不见不散		bú jiàn bú sàn	9
不客气		bú kèqi	1
不	（副）	bù	2
不如	（动）	bùrú	20
不好意思		bù hǎoyìsi	17
步行	（动）	bùxíng	15

C

猜	（动）	cāi	12
才	（副）	cái	11
参加	（动）	cānjiā	13
茶	（名）	chá	19
差	（形）	chà	20
差点儿	（副）	chàdiǎnr	9
馋	（形）	chán	19
长	（形）	cháng	11
长城	（专名）	Chángchéng	20
尝	（动）	cháng	19
常	（副）	cháng	14
场	（量）	chǎng	14
唱歌		chàng gē	17
超市	（名）	chāoshì	15
车费	（名）	chēfèi	15
车票	（名）	chēpiào	15
成	（动）	chéng	18
成绩	（名）	chéngjì	20
乘	（动）	chéng	15
乘客	（名）	chéngkè	15
吃	（动）	chī	6
吃饭		chī fàn	6
迟到	（动）	chídào	11
冲洗	（动）	chōngxǐ	18
出汗		chū hàn	14
出口	（名）	chūkǒu	10
出去	（动）	chūqù	9
出生	（动）	chūshēng	12
出租车	（名）	chūzūchē	15
初级	（名）	chūjí	4
厨房	（名）	chúfáng	19
除了……以外		chúle... yǐwài	10
厨师	（名）	chúshī	19
窗口	（名）	chuāngkǒu	8
床	（名）	chuáng	5
吹风		chuī fēng	18
春天	（名）	chūntiān	14
词典	（名）	cídiǎn	13
次	（量）	cì	8
次	（名）	cì	20
从	（介）	cóng	4

从来	（副）	cónglái	16
错	（形）	cuò	8
存	（动）	cún	8
存款单	（名）	cúnkuǎndān	8
存折	（名）	cúnzhé	8
寸	（量）	cùn	18

D

打	（动）	dǎ	9
大熊猫	（名）	dàxióngmāo	15
带	（动）	dài	13
单间	（名）	dānjiān	20
当	（动）	dāng	15
当然	（副）	dāngrán	4
的	（助）	de	2
得	（助动）	děi	13
等	（动）	děng	9
低	（形）	dī	14
地铁	（名）	dìtiě	15
弟弟	（名）	dìdi	3
第	（头）	dì	1
点	（名）	diǎn	11
点儿	（量）	diǎnr	6
电车	（名）	diànchē	15
电话	（名）	diànhuà	5
电脑	（名）	diànnǎo	9
电视	（名）	diànshì	10
电梯	（名）	diàntī	10
电影	（名）	diànyǐng	9
订	（动）	dìng	20
东	（名）	dōng	10
东京	（专名）	Dōngjīng	4
东西	（名）	dōngxi	19
冬冬	（专名）	Dōngdong	12
冬天	（名）	dōngtiān	14
懂	（动）	dǒng	4
动	（动）	dòng	18
动物园	（名）	dòngwùyuán	15
都	（副）	dōu	6
读	（动）	dú	2
堵车		dǔ chē	15
肚子	（名）	dùzi	16
度	（量）	dù	14
短	（形）	duǎn	18
锻炼	（动）	duànliàn	12
多	（副）	duō	11
多少	（代）	duōshao	5
对	（形）	duì	2
对不起		duìbuqǐ	1

E

俄罗斯	（专名）	Éluósī	
俄语	（专名）	Éyǔ	4
饿	（形）	è	6

儿子	（名）	érzi	12
二十	（数）	èrshí	5

F

发	（动）	fā	9
发票	（名）	fāpiào	15
发烧	（动）	fāshāo	16
法国	（专名）	Fǎguó	4
法语	（专名）	Fǎyǔ	4
发廊	（名）	fàláng	18
发型	（名）	fàxíng	18
翻译	（名）	fānyì	15
饭店	（名）	fàndiàn	19
方便	（形）	fāngbiàn	15
房间	（名）	fángjiān	5
放	（动）	fàng	13
放大	（动）	fàngdà	18
飞	（动）	fēi	20
非常	（副）	fēicháng	14
分钟	（名）	fēnzhōng	11
飞机	（名）	fēijī	15
风	（名）	fēng	14
风景	（名）	fēngjǐng	20
辅导	（动）	fǔdǎo	17
附近	（名）	fùjìn	10

G

该	（助动）	gāi	16
感冒	（动）	gǎnmào	16
刚	（名）	gāng	6
刚才	（名）	gāngcái	17
高	（形）	gāo	12
告辞	（动）	gàocí	19
告诉	（动）	gàosu	9
哥哥	（名）	gēge	3
歌厅	（名）	gētīng	17
各	（副）	gè	18
个	（量）	gè	4
个子	（名）	gèzi	12
给	（动）	gěi	7
给	（介）	gěi	9
跟	（介）	gēn	2
公安局	（名）	gōng'ānjú	10
公交车	（名）	gōngjiāochē	15
公里	（量）	gōnglǐ	15
公用电话	（名）	gōngyòng diànhuà	13
公园	（名）	gōngyuán	17
工作	（动、名）	gōngzuò	3
姑娘	（名）	gūniang	12
故宫	（专名）	Gùgōng	20
刮	（动）	guā	14

挂号	（动）	guàhào	16
拐	（动）	guǎi	10
怪不得	（副）	guàibude	17
关	（动）	guān	9
冠军	（名）	guànjūn	17
光	（动）	guāng	13
光临	（动）	guānglín	18
光盘	（名）	guāngpán	10
逛	（动）	guàng	17
柜子	（名）	guìzi	5
贵	（形）	guì	7
贵姓	（名）	guìxìng	1
国	（名）	guó	4
国家	（名）	guójiā	4
过	（动）	guò	10
过	（助）	guò	16

H

哈	（叹）	hā	12
还	（副）	hái	9
还是	（连）	háishì	8
韩国	（专名）	Hánguó	4
韩语	（专名）	Hányǔ	4
汉语	（专名）	Hànyǔ	2
汉字	（专名）	Hànzì	2
好	（形）	hǎo	1
好吃	（形）	hǎochī	19
好喝	（形）	hǎohē	19
好好儿		hǎohāor	13
号	（名）	hào	5
号码	（名）	hàomǎ	5
喝	（动）	hē	6
合适	（形）	héshì	18
黑板	（名）	hēibǎn	2
很	（副）	hěn	2
后	（名）	hòu	10
后天	（名）	hòutiān	11
护照	（名）	hùzhào	8
花	（动）	huā	13
画报	（名）	huàbào	13
坏	（形）	huài	13
欢迎	（动）	huānyíng	8
还	（动）	huán	13
换	（动）	huàn	8
黄飞	（专名）	Huáng Fēi	9
黄瓜	（名）	huángguā	7
回	（动）	huí	11
回答	（动）	huídá	2
回来		huílai	13
回去	（动）	huíqù	8
会	（助动、动）	huì	4
火车	（名）	huǒchē	15
火车站	（名）	huǒchēzhàn	15

J

机场	（名）	jīchǎng	15
机会	（名）	jīhuì	20
鸡蛋	（名）	jīdàn	6
极	（副）	jí	19
急事	（名）	jíshì	9
几	（代）	jǐ	5
挤	（形、动）	jǐ	15
记住	（动）	jìzhù	15
技术	（名）	jìshù	12
季	（名）	jì	14
继续	（动）	jìxù	13
家	（名）	jiā	3
家乡	（名）	jiāxiāng	14
简直	（副）	jiǎnzhí	19
健身	（动）	jiànshēn	17
交	（动）	jiāo	16
胶卷	（名）	jiāojuǎn	18
角	（量）	jiǎo	7
饺子	（名）	jiǎozi	6
叫	（动）	jiào	1
教室	（名）	jiàoshì	5
教学楼	（名）	jiàoxuélóu	10
接受	（动）	jiēshòu	19
街	（名）	jiē	9
结业证	（名）	jiéyèzhèng	18
借	（动）	jiè	13
斤	（量）	jīn	7
今天	（名）	jīntiān	5
金美真	（专名）	Jīn Měizhēn	1
紧张	（形）	jǐnzhāng	20
进	（动）	jìn	1
进来	（动）	jìnlái	17
近	（形）	jìn	15
经济舱	（名）	jīngjìcāng	20
京剧	（名）	jīngjù	17
景点儿	（名）	jǐngdiǎnr	20
警察	（名）	jǐngchá	3
酒	（名）	jiǔ	17
就	（副）	jiù	7
橘子	（名）	júzi	7
聚餐	（动）	jùcān	17
卷	（量）	juǎn	18
觉得	（动）	juéde	14

K

咖啡	（名）	kāfēi	19
卡	（名）	kǎ	8
开	（动）	kāi	9
开玩笑	（动）	kāiwánxiào	20
开往	（动）	kāiwǎng	20
开药		kāi yào	16
看	（动）	kàn	2

看病		kàn bìng	16
看样子		kàn yàngzi	12
考试		kǎo shì	20
咳嗽	（动）	késou	16
可	（副）	kě	17
可不是		kěbushì	14
可乐	（名）	kělè	19
可能	（助动）	kěnéng	14
可是	（连）	kěshì	4
可以	（助动）	kěyǐ	4
渴	（形）	kě	6
刻苦	（形）	kèkǔ	17
课	（名）	kè	1
课本	（名）	kèběn	13
课文	（名）	kèwén	2
空儿	（名）	kòngr	19
夸	（动）	kuā	19
块	（量）	kuài	7
快	（形）	kuài	11
快乐	（形）	kuàilè	11
昆明	（专名）	Kūnmíng	20

L

拉肚子	（动）	lā dùzi	16
来	（动）	lái	4
来得及		láidejí	11
篮球	（名）	lánqiú	12
劳驾	（动）	láojià	
老	（形）	lǎo	12
老人家	（名）	lǎorénjia	12
老师	（名）	lǎoshī	1
了	（助）	le	5
累	（形）	lèi	6
冷	（形）	lěng	14
离	（介）	lí	15
梨	（名）	lí	7
李	（专名）	Lǐ	1
里	（名）	lǐ	5
里面	（名）	lǐmiàn	18
理发		lǐ fà	18
理发员	（名）	lǐfàyuán	18
厉害	（形）	lìhai	16
凉快	（形）	liángkuài	14
量	（动）	liáng	16
两	（数）	liǎng	5
聊天		liáo tiān	17
淋	（动）	lín	16
零	（数）	líng	7
零钱	（名）	língqián	7
留学生	（名）	liúxuéshēng	9
六	（数）	liù	5
楼	（名）	lóu	5
录音		lù yīn	13
路	（名）	lù	15
路口	（名）	lùkǒu	10

路上	（名）	lùshang	20
伦敦	（专名）	Lúndūn	4
旅行	（动）	lǚxíng	20
旅行社	（名）	lǚxíngshè	20

M

妈妈	（名）	māma	3
麻烦	（动）	máfan	9
马	（名）	mǎ	12
马大哈	（名）	mǎdàhā	13
马路	（名）	mǎlù	10
马上	（副）	mǎshàng	13
吗	（助）	ma	3
买	（动）	mǎi	6
卖	（动）	mài	7
馒头	（名）	mántou	6
慢	（形）	màn	13
毛	（量）	máo	7
没	（副）	méi	8
没有	（动）	méiyǒu	5
没关系		méi guānxi	1
每	（代）	měi	12
美国	（专名）	Měiguó	4
美元	（名）	měiyuán	8
妹妹	（名）	mèimei	3
门口	（名）	ménkǒu	9
们	（尾）	men	1
米	（量）	mǐ	12
米饭	（名）	mǐfàn	6
秘密	（名）	mìmì	12
密码	（名）	mìmǎ	8
面包	（名）	miànbāo	6
面条	（名）	miàntiáo	6
明年	（名）	míngnián	11
明天	（名）	míngtiān	8
名字	（名）	míngzì	1
莫斯科	（专名）	Mòsīkē	4

N

拿	（动）	ná	13
哪儿	（代）	nǎr	4
那	（代）	nà	2
那里	（代）	nàlǐ	14
那么	（代）	nàme	17
南	（名）	nán	10
难道	（副）	nándào	19
呢	（助）	ne	1
内科	（名）	nèikē	16
你	（代）	nǐ	1
年	（名、量）	nián	11
年纪	（名）	niánjì	12
年龄	（名）	niánlíng	12
您	（代）	nín	1
纽约	（专名）	Niǔyuē	4

努力	（形）	nǔlì	17

O

哦	（叹）	ō	8
欧元	（名）	ōuyuán	8

P

拍照	（动）	pāi zhào	18
牌价	（名）	páijià	8
盘	（名）	pán	6
旁边	（名）	pángbiān	10
跑步		pǎo bù	17
陪	（动）	péi	16
朋友	（名）	péngyou	3
啤酒	（名）	píjiǔ	6
便宜	（形）	piányi	7
骗	（动）	piàn	19
票	（名）	piào	17
漂亮	（形）	piàoliang	3
拼音	（名）	pīnyīn	2
乒乓球	（名）	pīngpāngqiú	17
平时	（名）	píngshí	15
苹果	（名）	píngguǒ	7
铺	（名）	pù	20

Q

七	（数）	qī	5
骑	（动）	qí	13
起床		qǐ chuáng	11
起来	（动）	qǐlái	16
气温	（名）	qìwēn	14
前	（名）	qián	10
前面	（名）	qiánmiàn	10
钱	（名）	qián	7
巧	（形）	qiǎo	13
晴	（形）	qíng	14
请	（动）	qǐng	1
请假		qǐng jià	16
请客		qǐng kè	19
秋天	（名）	qiūtiān	14
取	（动）	qǔ	8
取款单	（名）	qǔkuǎndān	8
取款机	（名）	qǔkuǎnjī	8
取药处	（名）	qǔyàochù	16
去	（动）	qù	5
全	（形）	quán	3
缺课		quē kè	16
却	（副）	què	20

R

然后	（连）	ránhòu	16
让	（动）	ràng	9
热	（形）	rè	14
热情	（形）	rèqíng	19
人	（名）	rén	4
人民币	（名）	rénmínbì	8
日	（名）	rì	11
日本	（专名）	Rìběn	4
日语	（专名）	Rìyǔ	4
日元	（名）	rìyuán	8
肉	（名）	ròu	6

S

三	（数）	sān	4
伞	（名）	sǎn	14
嗓子	（名）	sǎngzi	16
山	（名）	shān	12
山口智子	（专名）	Shānkǒu Zhìzǐ	4
商店	（名）	shāngdiàn	10
上	（动）	shàng	9
上课		shàng kè	2
上面	（名）	shàngmiàn	10
上午	（名）	shàngwǔ	11
稍	（副）	shāo	18
少	（形）	shǎo	7
谁	（代）	shéi/shuí	3
身高	（名）	shēngāo	12
身体	（名）	shēntǐ	3
什么	（代）	shénme	1
什么的	（代）	shénmede	19
生病	（动）	shēngbìng	16
生词	（名）	shēngcí	12
生日	（名）	shēngrì	11
师范大学		shīfàn dàxué	15
十	（数）	shí	5
十六	（数）	shíliù	5
十四	（数）	shísì	5
十五	（数）	shíwǔ	5
十一	（数）	shíyī	5
十字	（名）	shízì	10
时候	（名）	shíhou	11
时间	（名）	shíjiān	11
时髦	（形）	shímáo	18
食堂	（名）	shítáng	6
是	（动）	shì	2
事	（名）	shì	9
世界	（名）	shìjiè	17
收	（动）	shōu	8
收据	（名）	shōujù	18
收款处	（名）	shōukuǎnchù	16
收下	（动）	shōuxià	19
手机	（名）	shǒujī	9

手艺	（名）	shǒuyì	19
首尔	（专名）	Shǒuěr	4
售货员	（名）	shòuhuòyuán	3
书	（名）	shū	2
书包	（名）	shūbāo	2
舒服	（形）	shūfu	14
输	（动）	shū	8
输入	（动）	shūrù	8
属	（动）	shǔ	12
数	（动）	shǔ	8
数码相机	（名）	shùmǎ xiàngjī	18
帅	（形）	shuài	3
水	（名）	shuǐ	6
睡觉	（动）	shuì jiào	11
说	（动）	shuō	2
说话算数		shuōhuà suànshù	19
顺着	（介）	shùnzhe	10
司机	（名）	sījī	15
死	（动）	sǐ	16
四	（数）	sì	5
送	（动）	sòng	19
宿舍	（名）	sùshè	5
虽然……但是……		suīrán... dànshì...	17
酸	（形）	suān	7
岁	（量）	suì	11
岁数	（名）	suìshu	12

T

他	（代）	tā	1
她	（代）	tā	3
抬	（动）	tái	18
太	（副）	tài	7
态度	（名）	tàidu	18
汤	（名）	tāng	6
烫发	（动）	tàngfà	18
特快	（名）	tèkuài	20
疼	（形）	téng	16
踢	（动）	tī	17
体温	（名）	tǐwēn	16
体育馆	（名）	tǐyùguǎn	17
体重	（名）	tǐzhòng	12
天	（量）	tiān	11
天安门	（专名）	Tiān'ānmén	20
天气	（名）	tiānqì	14
甜	（形）	tián	7
填	（动）	tián	8
挑	（动）	tiāo	18
跳舞		tiào wǔ	17
听	（动）	tīng	2
听说	（动）	tīngshuō	12
停	（动）	tíng	15
挺	（副）	tǐng	14

通	（动）	tōng	9
同屋	（名）	tóngwū	5
同学	（名）	tóngxué	1
偷	（动）	tōu	20
头	（名）	tóu	16
头发	（名）	tóufa	18
图书馆	（名）	túshūguǎn	10
土豆	（名）	tǔdòu	7

W

歪	（动）	wāi	18
外币	（名）	wàibì	8
外科	（名）	wàikē	16
弯	（形）	wān	18
完	（动）	wán	13
玩儿	（动）	wánr	14
晚会	（名）	wǎnhuì	13
晚上	（名）	wǎnshang	11
碗	（名）	wǎn	6
网吧	（名）	wǎngbā	9
网球	（名）	wǎngqiú	17
网址	（名）	wǎngzhǐ	9
往	（介）	wǎng	10
忘	（动）	wàng	8
微笑	（动）	wēixiào	18
位	（量）	wèi	1
卫生间	（名）	wèishēngjiān	5
味道	（名）	wèidao	19
喂	（叹）	wèi	9
问	（动）	wèn	2
我	（代）	wǒ	1
卧室	（名）	wòshì	5
卧铺	（名）	wòpù	20
无人售票		wú rén shòu piào	15
五	（数）	wǔ	5
武术	（名）	wǔshù	17
舞会	（名）	wǔhuì	17

X

西	（名）	xī	10
西红柿	（名）	xīhóngshì	7
洗	（动）	xǐ	18
喜欢	（动）	xǐhuan	7
下	（名）	xià	11
下	（动）	xià	14
下课		xià kè	4
下午	（名）	xiàwǔ	11
夏天	（名）	xiàtiān	14
先	（副）	xiān	13
先生	（名）	xiānsheng	12
现在	（名）	xiànzài	6
相信	（动）	xiāngxìn	20
香蕉	（名）	xiāngjiāo	7

箱	（名）	xiāng	15
箱子	（名）	xiāngzi	12
想	（动）	xiǎng	6
橡皮	（名）	xiàngpí	13
小时	（名）	xiǎoshí	11
小偷	（名）	xiǎotōu	20
小心	（动）	xiǎoxīn	20
写	（动）	xiě	2
谢谢	（动）	xièxie	1
心情	（名）	xīnqíng	20
心意	（名）	xīnyì	19
辛苦	（形）	xīnkǔ	15
星期	（名）	xīngqī	11
行	（动）	xíng	7
行李	（名）	xíngli	15
休息	（动）	xiūxi	16
雪	（名）	xuě	14
学生	（名）	xuéshēng	3
学习	（动）	xuéxí	2
学校	（名）	xuéxiào	10
学院	（名）	xuéyuàn	5

Y

牙	（名）	yá	16
眼睛	（名）	yǎnjing	18
羊	（名）	yáng	12
样式	（名）	yàngshi	18
邀请	（动）	yāoqǐng	19
姚明	（专名）	Yáo Míng	12
药	（名）	yào	16
要	（动）	yào	6
要是	（连）	yàoshì	13
也	（副）	yě	3
夜	（名）	yè	20
夜里	（名）	yèlǐ	16
一	（数）	yī	1
一会儿	（名）	yíhuìr	13
一共	（副）	yígòng	7
一路平安		yílù píng'ān	20
一路顺风		yílù shùnfēng	20
一下儿		yíxiàr	8
一样	（形）	yíyàng	18
一点儿	（量）	yìdiǎnr	4
一直	（副）	yìzhí	10
医生	（名）	yīshēng	3
医院	（名）	yīyuàn	10
遗憾	（动）	yíhàn	17
颐和园	（专名）	Yíhéyuán	20
已	（副）	yǐ	9
以后	（名）	yǐhòu	17
已经	（副）	yǐjing	11
以前	（名）	yǐqián	18
椅子	（名）	yǐzi	2
银行	（名）	yínháng	8
硬座	（名）	yìngzuò	20

应该	（助动）	yīnggāi	17
英国	（专名）	Yīngguó	4
英语	（专名）	Yīngyǔ	4
邮件	（名）	yóujiàn	9
邮局	（名）	yóujú	10
游泳		yóu yǒng	17
友谊宾馆	（专名）	Yǒuyì Bīnguǎn	20
有	（动）	yǒu	5
有点儿	（副）	yǒudiǎnr	6
有意思	（形）	yǒu yìsi	11
又	（副）	yòu	6
又拉又吐		yòu lā yòu tù	16
又红又大		yòu hóng yòu dà	7
右	（名）	yòu	10
用	（介、动）	yòng	4
用户	（名）	yònghù	9
鱼	（名）	yú	6
愉快	（形）	yúkuài	20
预订	（动）	yùdìng	20
预习	（动）	yùxí	13
元	（量）	yuán	7
原来	（副）	yuánlái	17
圆珠笔	（名）	yuánzhūbǐ	13
约	（动）	yuē	9
月	（名）	yuè	11
越……越……		yuè...yuè...	20
运动员	（名）	yùndòngyuán	3

Z

杂志	（名）	zázhì	7
在	（介、副、动）	zài	4
再	（副）	zài	8
再见	（动）	zàijiàn	1
咱们	（代）	zánmen	6
早	（形）	zǎo	11
早晨	（名）	zǎochén	11
早饭	（名）	zǎofàn	6
早上	（名）	zǎoshang	12
怎么	（副）	zěnme	4
怎么样	（代）	zěnmeyàng	14
张	（量）	zhāng	5
招待	（动）	zhāodài	19
着急	（动）	zháojí	13
找	（动）	zhǎo	7
照	（动）	zhào	18
照片	（名）	zhàopiàn	3
照相	（动）	zhàoxiàng	18
照相馆	（名）	zhàoxiàngguǎn	18
这	（代）	zhè	1
这里	（代）	zhèlǐ	14
这儿	（代）	zhèr	7
这些	（代）	zhèxiē	7

这样	（代）	zhèyàng	8
着	（助）	zhe	10
真	（副）	zhēn	3
正	（副）	zhèng	18
正好	（形）	zhènghǎo	7
证件照		zhèngjiàn zhào	18
支	（量）	zhī	7
知道	（动）	zhīdào	8
只	（副）	zhǐ	11
指示牌	（名）	zhǐshìpái	10
至少	（副）	zhìshǎo	12
终点	（名）	zhōngdiǎn	15
中国	（专名）	Zhōngguó	6
中间	（名）	zhōngjiān	10
中心	（名）	zhōngxīn	20
种	（量）	zhǒng	7
重	（形）	zhòng	12
粥	（名）	zhōu	6
周末	（名）	zhōumò	11
主要	（形）	zhǔyào	20
主意	（名）	zhǔyì	18
住	（动）	zhù	5
住院	（动）	zhùyuàn	16
注意	（动）	zhùyì	20
祝	（动）	zhù	11
转	（动）	zhuǎn	14
转告	（动）	zhuǎngào	9
准备	（动）	zhǔnbèi	19
桌子	（名）	zhuōzi	2
自己	（代）	zìjǐ	15
自然	（形）	zìrán	18
自行车	（名）	zìxíngchē	13
走	（动）	zǒu	7
足球	（名）	zúqiú	17
嘴	（名）	zuǐ	19
最	（副）	zuì	14
昨天	（名）	zuótiān	11
左	（名）	zuǒ	10
作业	（名）	zuòyè	13
坐	（动）	zuò	1
做	（动）	zuò	3
做客		zuò kè	19